HISTOIRE DU FILS

MARIE-HÉLÈNE LAFON

———

HISTOIRE DU FILS

ROMAN

BUCHET●CHASTEL

Pour Jacques,

Pour Bernadette, in memoriam.

« Le langage est notre sol, notre chair. Je me représente toujours le chantier comme un creux, une ouverture du sol, et l'avancée d'un texte, sa progression, comme une marche en montagne. »

Valère Novarina,
entretien sur *L'Animal imaginaire*,
2019.

Jeudi 25 avril 1908

Les pieds nus d'Armand glissent sur le parquet ; il ne veut pas réveiller Paul qui dort encore
et fait son petit bruit de lèvres dégoûtant, comme
un chiot quand il tète. Il va attendre un peu,
mais pas trop longtemps, il ne faut pas que Paul
se réveille, il gâcherait la fête des retrouvailles,
Paul gâche tout. Paul et lui sont nés le même
jour, le 2 août 1903 ; il sait, par sa mère et par
sa tante, qu'il n'y avait jamais eu de jumeaux
dans les deux familles avant eux. Il préférerait n'être pas jumeau, ou l'être avec Georges,
sans Paul. Il comprend que c'est impossible,
parce que les choses sont comme elles sont,
la tante Marguerite le dit souvent, il tourne et
retourne derrière ses dents cette phrase un peu
bizarre qui glisse et lui échappe, il s'applique un
moment à penser aux phrases grises de la tante
Marguerite, et à son odeur, cendres froides et
saucisson sec. Il réfléchit beaucoup aux odeurs

et aux couleurs des gens, des choses, des pièces ou des moments et, quand Antoinette vivait avec eux à Chanterelle, il la faisait rire avec ce qu'elle appelait ses folies, et elle riait elle riait, elle pleurait aussi du coin des yeux à force de rire tellement ; maintenant il ne peut plus dire ses folies à personne. Georges sent la confiture de prunes, quand la tante la laisse cuire long-temps en été dans la bassine de cuivre, il sent cette confiture à ce moment précis, et pas quand on l'étale sur des tartines au goûter en hiver ; même le père en mange et fait des compliments à la tante qui ne lui répond rien et le regarde comme si elle le voyait pour la première fois. Amélie sent la rivière, au printemps, la rivière haute des neiges fondues. Paul sent le vent et la lame froide des couteaux qui sont dans la cuisine et qu'ils n'ont pas le droit de toucher. Pour sa mère, il hésite, et ça change tout le temps, la neige quand elle devient bleue le soir au bord du bois, le café chaud, elle sent rouge aussi certaines fois. Pour le père, la soupe de légumes peut-être, mais il ne trouve pas vrai-ment, il s'arrête, ça se fige à l'intérieur de lui et il préfère ne pas insister. Les odeurs sont un jeu et on ne peut pas jouer avec le père. La petite chambre de Georges, entre celle des parents et la leur, sent le chaud blanc des fers à repasser que sa mère ou Amélie font glisser sur les linges en pliant le bras et en écartant le coude, bras et coude droits pour sa mère, gauches pour Amélie qui est pourtant la plus habile. La grande toilette du samedi soir, avec les serviettes tièdes et douces, et la mère et la tante penchées sur lui, sur eux, la grande toilette sent rose, Antoinette et Amélie ne s'occupent pas de cette toilette du samedi. La tante dit, en détachant bien chaque mot, on ne mélange pas les torchons et les serviettes ; ou qui va à la chasse perd sa place, ou qui dort dîne, ou qui sème le vent récolte la tempête, ou les chiens ne font pas des chats. Il sait par cœur toutes les phrases de la tante, surtout celles qu'il ne comprend pas, et les récite parfois, en silence, mot à mot, pour s'endormir, ou pour se calmer, pour se refroidir, comme maintenant, quand il sent qu'il voudrait sauter d'un seul bond les six marches de l'escalier et se poser dans la cuisine sur l'épaule d'Antoinette, comme une hirondelle. La tante dit aussi, une hirondelle ne fait pas le printemps. Pour prendre patience jusqu'à ce que le carillon de la salle à manger sonne la demie, il s'applique à penser aux fraises, celles qu'Antoinette aura cueillies pour lui à Embort, les premières, et celles du jardin de la tante. Il sait que sa mère, sa tante et Amélie sont dans la cuisine et s'affairent pour la lessive, ça commence aujourd'hui et ça durera deux jours entiers. Antoinette viendra aussi, elle revient pour les gros travaux, elle est sans doute déjà arrivée, elle lui a promis les premières fraises et Antoinette tient toujours ses promesses. Elle ne vit plus à Chanterelle mais à Embort, il a bien retenu le nom, dans un autre pays beaucoup plus doux où poussent de grands cerisiers, elle le raconte et montre avec ses deux bras comment les cerisiers s'arrondissent dans les vergers de ce nouveau pays où elle habite avec son mari. Il a beaucoup pleuré quand elle est partie avec ce mari, qui est frisé, même si sa mère et la tante Marguerite lui ont expliqué que c'était normal, que les jeunes filles comme Antoinette, quand elles trouvent un mari, quittent les enfants dont elles s'occupent dans les maisons des autres pour suivre leur mari et habiter avec lui dans leur propre maison où elles auront des enfants à elles. La tante Marguerite a penché la tête en disant ces mots et il a compris qu'il ne fallait pas poser davantage de questions. Il sait que la tante Marguerite n'a ni mari, ni maison, ni enfants, et il sent que la tristesse traverse sa peau et lui donne une odeur particulière que n'ont pas sa mère, Antoinette ou Amélie. C'est un parfum gris et froid qui lui serre le ventre ; il pourrait pleurer, mais il ne pleure pas, il ne faut pas le faire, on se moquerait. Il sort de la chambre, la fenêtre au bout du couloir est pleine de lumière, comme le grand vitrail de l'église quand il fait beau ; le soleil se lève de ce côté et on ne ferme jamais les volets de cette fenêtre, même l'hiver. Il est seul dans le couloir, tout le monde est en bas, dans la cuisine, et son père est parti à la Mairie, le jeudi matin son père va très tôt à la Mairie. Il était encore dans son lit quand il l'a entendu fermer la porte et traverser la place ; à l'oreille, et les yeux fermés, parce qu'il écoute mieux les yeux fermés, il reconnaît le pas et les façons de faire de chacun, sa mère, sa tante, son père, Paul, Georges, Amélie et même d'autres personnes, comme Solange ou Antonin, qui viennent pour aider et n'habitent pas avec eux ; il reconnaît aussi les aboiements de chaque chien du bourg, c'est un jeu et un secret, Paul ne doit pas savoir. Armand s'avance, il marche dans la lumière tiède, il la sent sur lui, sur ses pieds, sur ses mains, son visage, ses cheveux, il ferme les yeux. Plus tard, bientôt, quand il sera assez grand, il sera enfant de chœur, sa mère et sa tante le voudront, son père ne pourra pas l'empêcher, il a entendu Antoinette le dire à Amélie même si elles ont changé de sujet quand il est entré dans la cuisine. Antoinette et Amélie craignent le père, tout le monde le craint, même Paul, les colères du père sont comme l'orage et le tonnerre, la maison tremble, la terre tremble, c'est la nuit en plein jour ; quand ça s'arrête, quand le père s'en va, on recommence à respirer. En attendant on peut réciter à l'intérieur de soi la prière que leur mère dit le soir dans la chambre pour Paul et lui, Georges ne comprend pas, il est encore trop petit. Armand a essayé pendant la dernière colère, mais ça n'a pas marché, il sait pourquoi, la prière commence par Notre père, et les mots se coincent dans sa gorge, ça ne passe pas. Il faudrait pouvoir en parler à Antoinette aujourd'hui, ou demain ; ensuite elle repartira, dès que la lessive sera finie, et il ne sait pas quand elle reviendra. Antoinette a des idées, des solutions pour tout, elle sait des tours de magie, il aime ses bras, ses cheveux, son cou, il aime entrer à la volée avec elle dans l'église vide les après-midi de beau temps, juste pour aller faire une génuflexion et le signe de croix dans les flaques de lumière jaune et rouge qui tombent du grand vitrail. Ils s'assoient aussi une minute dans le confessionnal, chacun de son côté, elle à droite lui à gauche, le bois est lustré et doux, le confessionnal sent la cire, le miel, le beurre frais. Il aime l'église, il sera enfant de chœur, il aime Antoinette.

Il entend sa voix qui monte de la cuisine, mêlée à celle de sa mère, la tante et Amélie ne disent rien. Il se tient debout sur la première marche de l'escalier, il attend, il sait que sa mère et sa tante sont levées depuis longtemps déjà et ont mis l'eau à chauffer sur le grand fourneau dans deux faitouts très hauts qui ne servent que pour les lessives ; le reste du temps ils sont rangés sur l'étagère du bas dans la buanderie et ils aiment, Georges et lui, jouer avec le plus profond qui est assez grand pour que Georges s'y glisse entièrement, comme dans une sorte d'étui dur, il disparaît à l'intérieur et se balance d'avant en arrière ou de droite à gauche en imitant les poules quand elles ont pondu, le faitout a l'air de danser en gloussant et ils rient sans pouvoir s'arrêter. Ils le font en cachette, quand les adultes ne s'occupent pas d'eux, ils seraient grondés parce qu'il ne faut pas abîmer les ustensiles. Paul trouve que c'est un jeu de petits et se moque d'eux mais ne les dénonce pas. Armand descend deux marches et s'assied sur la troisième d'où il peut voir, sans être vu, ce qui se passe dans la cuisine. Antoinette est là ; elle va et vient, les bras chargés de linge, ses cheveux moussus sont roux, Antoinette est rousse, pas rouquine, il n'aime pas ce mot que son père dit parfois. Antoinette est rousse comme le renard qu'ils ont vu l'hiver dernier, sa mère et lui, en traversant le grand pré du haut, un soir de neige. Sa mère a serré sa main qu'elle tenait dans la sienne, ils se sont arrêtés, le renard aussi, saisis, les trois ; ensuite le bois a avalé la bête, il n'est plus resté que ses traces à peine visibles sur la neige bleue et dure. Antoinette est un miracle, comme le renard. Son père tue les renards, son père est chasseur, plus tard, lui, il sera enfant de chœur et il ne chassera pas, il ne veut pas tuer les bêtes, ni les renards magiques, ni les lièvres de velours, ni les chevreuils bondissants, ni les oiseaux, aucun oiseau, surtout pas les oiseaux. Tout se bouscule à l'intérieur de lui, les oiseaux, Antoinette la renarde, le vitrail de l'église, les fraises, le beurre frais du confessionnal, le secret du grand faitout. Il ne résiste pas, c'est trop de tout en une seule goulée, ses pieds nus battent en silence la mesure de sa joie sur la quatrième marche, il voudrait s'envoler. Il aime se souvenir du dernier été, quand il ne savait pas encore qu'Antoinette partirait, ils allaient les soirs, eux, les deux, ils arrosaient les salades, surtout les salades, et d'autres légumes qui ne l'intéressaient pas beaucoup mais il aimait porter les petits brocs, le blanc et le bleu, il suivait Antoinette, il la respirait dans l'odeur de la terre mouillée, il avait des ailes, il galopait du puits à l'autre bout du jardin, sans rien abîmer, pour chercher de l'eau, encore de l'eau. Le jardin était un royaume vert et doré, le jardin était le monde et la lumière ne finissait pas. Ensuite, avant de rentrer, ils passeraient par le coin des fraises, ils seraient accroupis l'un en face de l'autre, de chaque côté de la plate-bande, ils fouilleraient doucement la dentelle fraîche des feuilles et sentiraient sous leurs doigts s'arrondir les fraises, trois ou quatre, pas davantage, pour ne pas fâcher la tante. Il y aurait un autre été, bientôt, mais Antoinette ne serait plus là. La demie de huit heures bondit au carillon, lui aussi, il n'y tient plus, il est debout, ses pieds sont nus sur les marches hautes de l'escalier. Antoinette lui tourne le dos, elle est devant le fourneau, elle ne l'a pas encore vu mais il sait qu'elle l'attend, il ne touche plus terre, il jaillit, il court, il se jette dans les jambes de son Antoinette au moment où elle se retourne ; elle

21

a retiré du fourneau le haut faitout brûlant, elle le porte à bout de bras, empoigné, et ça s'achève dans un cri déchiré qui réveille Paul.

Jeudi 23 janvier 1919

On était à l'étude. Il frottait ses pieds l'un
contre l'autre sous le pupitre ; il avait toujours
les pieds froids, même si sa mère glissait dans sa
valise de courts chaussons de laine fine, gris ou
noirs, qu'elle tricotait pour lui, là-haut, l'hiver, à
Chanterelle. Le matin, au dortoir, il les enfilait
discrètement sous ses chaussettes, ils étaient très
ajustés, et doux sur la peau. On ne devait pas
savoir, au lycée, que Paul Lachalme craignait
le froid aux pieds et portait des chaussons tri-
cotés par sa mère. Il avait un rang à tenir. Ils
étaient une poignée, quatre ou cinq, à n'avoir
pas cessé, toute l'année précédente, de clamer,
proclamer et déclamer, avec lui, dans son sillage,
leur hâte d'en être, d'avoir seize ans, enfin, pour
s'engager, tenter au moins de le faire, et partir, quitter cette honte molle de l'arrière où les
femmes, les enfants, les vieillards, les estropiés,
les demi-portions et les planqués attendaient,

poussant l'ordinaire des jours tranquilles avec leur ventre, tandis que les hommes vivaient ailleurs, et mouraient, au-dessus d'eux-mêmes. Paul était content de sa phrase et de ses formules ; il en avait le goût, d'aucuns disaient le don, et en usait volontiers au fil des discussions enflammées entre internes sur la cruciale question de cette guerre qui ne finissait pas. Ceux qui voulaient partir, et rejoindre, ou remplacer, ou venger les pères, les oncles, les frères, les cousins, les amis, en imposaient aux autres ; on osait à peine dire ou même penser que l'on avait peur, ou que cette guerre enterrée dans la boue depuis quatre ans n'avait plus vraiment de sens, ou que l'on ne savait pas comment infliger ça en plus, ce départ, à une mère, à une sœur déjà vouées au noir et aux larmes. L'Armistice avait tranché dans le vif et coupé court aux atermoiements et aux rodomontades. Deux mois plus tard, l'interminable janvier s'étirait dans le gris glacé des semaines à entasser les unes sur les autres jusqu'aux lointains congés de Pâques et Paul Lachalme avait froid aux pieds à l'étude du soir. On avait été rendu à son état d'enfance, on ne deviendrait pas un héros, on ne serait pas mort au champ d'honneur, il était trop tard pour tout ; on dépendait, on redevenait impuissant, on n'avait jamais cessé de l'être, on subissait et on se débattait avec tout ça, les semaines, les pieds froids, la première *Bucolique* et autres purges scolaires. *Sub tegmine fagi*, sous le couvert des hêtres ; vivement que l'on y soit, sous les hêtres, à Chanterelle, à Pâques, en avril, dans le printemps du monde ; encore une formule ; pas tout à fait. Paul secoue la tête. Il ne parle à personne du pays d'en haut, de Chanterelle, des parents, de la tante ; c'est un royaume, ça ne se partage pas, et il ne faut pas donner prise aux railleurs aurillacois qui sont légion, moins empaysannés que son frère et lui et prompts à mordre ou à déchirer quiconque les surpasse en tout. Or, Georges et lui les surpassent en tout, c'est comme ça, c'est éclatant, mais il ne faut jamais mollir, ni baisser la garde. Lui, Paul Lachalme, ne baisse jamais la garde, même s'il a les pieds froids. *Sub tegmine fagi* ; *fagi*, de *fagus*, qui a donné fayard ; il est content de l'avoir appris, on ne perd pas tout à fait son temps avec Virgile, et Michon ; à cause de sa calvitie monacale, on dit le Père Michon, avec les deux majuscules, ou PM, à l'anglaise ; il vient de Guéret et vous débite les *Bucoliques* en tranches juteuses et impeccables avec une émotion presque contagieuse. Paul et Georges expliquent volontiers un peu de latin à leur mère et à leur tante qui ne le savent pas mais en sont friandes parce qu'elles l'entendent à l'église. Paul sent qu'elles les aiment encore davantage, si c'est possible, Georges et lui, de les deviner si savants et tout auréolés de mystères indépassables. Il envierait presque à son frère la rutilante origine grecque de son prénom, Georgos, le laboureur ; mais il donnerait bien davantage encore pour s'appeler André depuis que le Père Michon leur en a jeté en pâture la mâle étymologie. André, c'est l'homme qui bande ; PM ne l'a pas dit comme ça, il a mis les formes, mais on a compris, et il a su que l'on avait compris, que quelques-uns, du moins, avaient entendu la suave nuance et s'en souviendraient. Paul voudrait s'ébrouer ; encore une bonne demi-heure d'étude ; il remue les pieds sous le pupitre, bouge ses orteils dans les chaussons, sent glisser sur lui, sur son front, son crâne, son dos, le regard glacial du pion, Mourot, une vache embusquée, un sournois dont il faut toujours se méfier. Encore un qui doit bander mou ; d'ailleurs il s'appelle Camille, un prénom de fille. Paul pense aux prénoms, il divague en silence et tue le temps. *Sub tegmine fagi*, vivement Pâques, que l'on soit à Chanterelle ; les hêtres de là-haut, c'est autre chose que ceux de

Virgile, autre chose que les marronniers bien coiffés de la grande cour du lycée d'Aurillac, en pays bas. À Chanterelle, une fois l'obstacle du père contourné, la mère et la tante seraient aux petits soins, et il y aurait des filles ; des filles à voir, à humer, à flairer ; de loin. Il ne fallait pas toucher aux filles de là-haut, ça se serait su tout de suite ; on se contentait de regarder, de loin, mais c'était toujours mieux qu'ici, au lycée, où l'on tirait la langue pendant des semaines, sans rien de rien de rien à se mettre sous la dent. Là-haut, les filles passaient sur la place, en grappes pépiantes, elles ne venaient pas seules au café, encore moins au restaurant ou à l'hôtel, mais dans la maison, à la fenêtre de sa chambre même, on était aux premières loges, en toute discrétion, et on n'en perdait pas une miette, surtout l'été, qui était la faste saison des cousines, et des amies des cousines.

Mourot patrouille dans les rangs, il ne sent pas bon. Paul hésite, beurre rance poireaux vinaigrette vieille soupe, des relents de nourriture, les stigmates d'une vie étriquée, recuite et réchauffée. Mourot se campe à deux pas de lui, jambes écartées, légèrement fléchies, mains croisées dans le dos, doigts mollement noués, paumes ouvertes ; ses ongles ne sont pas nets et le rose presque tendre des paumes gêne Paul Lachalme qui détourne le regard, ferme les écoutilles, et voudrait s'appliquer à réciter son Virgile en attendant la cloche du soir. Il rumine poussivement sa *Bucolique*, il la sait, il la chique comme un tabac familier, il flotte. Quatre rangs devant lui, la nuque penchée de son frère trahit une intense préoccupation. Georges excelle en tout et ne répugne pas à se donner de la peine dans les rares domaines où il ne triomphe pas sans efforts. Le lycée bruisse de ses multiples exploits, en composition française, en version grecque et latine, en thème grec, et même en mathématiques, matière barbare que lui, Paul, dédaigne ostensiblement. En sa qualité d'aîné, il pourrait prendre ombrage du brio de Georges, si son ascendant manifeste sur son cadet n'était fondé sur d'intangibles et très intestines lois familiales. On les sait vrillés l'un à l'autre, noués, descendus du Nord lointain du département, un pays pentu, bourru, caparaçonné de neiges interminables entre novembre et avril, et strié d'orages impérieux pendant les deux mois d'été éruptifs où tout ce que le Sud du département compte de domaines agricoles notoires envoie à l'estive, là-haut, au-delà du Puy-Mary et du Lioran, sur les plateaux du

Cézallier ou du Limon, force troupeaux de vaches rouges promises à la griserie longue des montagnes fourrées d'herbe grasse. Les natifs de la Préfecture et de ses entours immédiats toisent volontiers les ressortissants des quatre cantons du haut pays, Allanche, Condat, Murat, Riom-ès-Montagnes, qu'ils appellent les gabatch, autrement dit les sauvages ; un mot craché, on l'écrit à peine et on le prononce à l'arrache, même si le pays bas ne saurait se départir tout à fait d'une sorte d'admiration sourde, mâtinée de crainte, pour les précieuses qualités d'endurance, de ténacité, voire d'opiniâtreté que l'on dit échues en rude partage aux sommaires indigènes du haut pays. Paul et Georges Lachalme échappaient en partie à ces étalonnages subtils, moins par leur extrace, on les savait peu ou prou fils d'aubergiste prospère, entiché de politique locale, et petits-fils de paysans, que par un charme qui n'avait pas de nom et leur tenait au corps. C'était dans leurs attaches, épaules poignets chevilles, fortes et fines à la fois, dans leur carnation, pâle et néanmoins vigoureuse, dans leurs chevelures, souples et drues, toujours soignées sans ostentation, d'un châtain doré assez indicible, dans leurs regards clairs, traversés de bleus et de gris changeants. Leurs dents étaient parfaites, et leurs silhouettes déjà longues, félines et puissantes. Ils ne dédaignaient pas de briller aussi dans les exercices sportifs, et tout en eux éclatait d'une grâce, d'une évidence qui, tour à tour, foudroyait, séduisait, enjôlait ou irritait. Georges se taisait sous l'aile de Paul qui avait le verbe facile et en abusait avec une rage mal contenue. La guerre était finie, on ne jetterait pas sa gourme, il eût voulu s'enflammer, s'illustrer de virile façon, terrasser l'ennemi, le pourfendre et l'étriper, triompher de la mort elle-même et crouler sous les lauriers, sanglé dans un uniforme glorieux. Il avait eu onze ans le 2 août 1914 et avait été humilié que son père, déjà presque quinquagénaire, ne fût pas même mobilisé à l'arrière. Aucun homme ne porterait haut les couleurs de la lignée, les oncles paternels étaient trop vieux, on n'avait pas d'oncle maternel, fût-ce par alliance ; on n'avait que des cousines, quatre du côté du père, trop jeunes encore, de treize à seize ans, pour être fiancées ou mariées et faire des veuves mutiques et languides ; on n'avait rien, ou à peu près ; seuls le fils aîné des fermiers et leur neveu avaient été appelés, étaient partis. On les connaissait, certes ; on les avait toujours vus sans les voir, râblés et courtauds, s'affairer aux alentours, puissants dans le travail, mais ils n'étaient pas du sang, et, en dépit de sa mère et de sa tante qui priaient d'abondance pour eux, ils ne faisaient pas rêver Paul Lachalme. Le neveu était porté disparu depuis novembre 1917 ; le fils était revenu, poussif et gazé ; on l'avait aperçu aux vacances de Noël, devant la cheminée, effondré dans un fauteuil de femme ; la mère larmoyait, le père ne disait rien, le fils pouvait à peine parler, on n'attrapait pas son regard, il crachotait sans fin des filaments rougeâtres qu'il recueillait avec des gestes lents dans un mouchoir toujours sale. Paul avait eu honte et peur. Il eût mieux valu la mort ; il l'avait pensé, ne l'avait pas dit, même à sa mère et à sa tante qu'il savait pourtant acquises à ses moindres égarements. L'avenir s'était soudain vidé. Virgile, le couvert des fayards, l'étude du soir et les semaines tiédasses de l'internat étaient tout son horizon, pour plus de deux années encore. Attendre, attendre. Il avait froid aux pieds et sentait fort, lui aussi, pas comme Mourot, mais fort, et pas bon. Il se reniflait, il fermentait. Restaient les femmes, les corps des femelles ; à part lui il disait les femelles, il aimait le tremblement carnassier de ce mot ; les femelles donc, et ce qu'elles cachaient, tenu serré sous leur corsage et entre leurs genoux. Il flairait ça, il voulait ça. Il était prêt pour la grande chasse, armes fourbies. On en parlait entre garçons, avec des mots crus. Il connaissait les gestes, et son jus. On s'ébrouait entre mâles dans les replis de l'internat. L'été précédent à Condat le jour de la fête patronale, au bal, il était un danseur de première force, insatiable, il avait emballé une grande fille délurée et rieuse, fraîchement débarquée de Clermont où l'on avait sans doute les idées plus larges. Cette Clarisse, un prénom de mémé en dépit de ses vingt ans, l'avait suivi, voire précédé, au bord de la Rhue. Il avait vu, il avait touché, mordillé, poussé son museau, la langue, les dents ; les cuisses étaient soyeuses, Clarisse haletait, répandue dans l'herbe humide. Mais on n'avait pas conclu, elle lui avait filé entre les doigts, sans qu'il comprenne tout à fait comment ni pourquoi. Disparue, évanouie la Clarisse liquide. Il était remonté à Chanterelle, enragé. Il enviait presque son frère qu'il sentait loin de ces brisées orageuses, enfoui encore en ses enfances. Les femmes étaient interdites, du moins les jeunes filles de son milieu, gardées comme des reliquaires, bardées de mères alarmées, de tantes répulsives et de principes épineux. On pouvait de surcroît aimer les jeunes filles, en tomber amoureux ; il devinait cela, cette pente délicieuse, ce vertige capiteux, il avait un peu lu et connaissait par cœur la Rose de Victor Hugo. Le philtre était amer, il ne serait pas vaincu, pas enchaîné, pas comme ça, ce poison définitif ne coulerait pas dans son sang. Il ne voulait pas la douleur, il voulait la chair. Le mot sentait trop la messe ; il pensait et disait la viande, et parfois ses mains en tremblaient sous les draps.

La deuxième quinzaine de janvier fut rude, on cassait la glace chaque matin dans la grande salle des lavabos, les ablutions s'en trouvaient abrégées et Paul n'aimait pas ce fumet rance qui suintait à ses entournures. À la maison, sa mère et sa tante lui avaient donné l'habitude et le goût des bains chauds. Chaque vendredi soir, vers cinq heures, en l'absence de son père que ces fantaisies irritaient, et sans recourir à Suzanne, la jeune bonne entrée au service de la famille l'année de ses dix ans, elles s'affairaient autour de lui, éprouvant d'une main experte la température de l'eau, s'éclipsant opportunément au moment où il surgissait, ruisselant et très nu, enjambant le tub d'une jambe gaillarde pour se draper dans l'immense serviette en piqué de coton, brodée à son chiffre, que sa mère aurait au préalable déployée sur le dossier de la chaise la plus proche. La cérémonie avait lieu dans un coin de la grande cuisine qu'isolait pour l'occasion un paravent tendu de papier peint à ramages gris. L'eau chauffait depuis le matin sur la cuisinière dans deux hauts faitouts réservés à cet usage et aux jours de lessive. Georges, plus accommodant et expéditif, se laverait ensuite dans le reste tiède du bain de son frère. L'été, on se baignait volontiers dans la Santoire, le sang fouetté par ses eaux vives et têtues qui, en certain trou ombreux baptisé par eux gourgue de l'enfer, gardaient toute leur roborative fraîcheur au creux des jours les plus cuisants. Le dimanche 26 janvier, Paul décréta qu'il se laverait entièrement, dût-il pour ce faire user de glace à peine fondue. Bravache, il tint parole, les dents serrées, seul dans la grande salle désertée par ses camarades, moins regardants sur l'hygiène. Le surlendemain, les oreilles bourdonnantes, la gorge en feu, suant, toussant et suffoquant, il fut expédié sans ménagement à l'infirmerie où un jeune médecin de ville, appelé en urgence, s'alarma de l'état de ses bronches. On n'avait pas de faiblesse de poitrine dans la famille, Paul l'eût précisé s'il en avait eu la force ; mais, aphone, les jambes flageolantes, il se retrouva consigné dans l'une des deux chambres à un lit réservées aux cas sérieux et fut livré aux mains expertes de l'infirmière qui le sangla sous trois couvertures et un drap bleu bien tiré, en lui donnant du jeune homme, vous, d'une voix martiale et enveloppante à la fois. Il était à la limite de l'évanouissement, ne demanda pas son reste et se rendit compte seulement le lendemain soir que l'infirmière avait été remplacée. Des générations de lycéens avaient redouté l'expéditive Madame Brégançon, duègne massive et sans âge, engoncée dans une blouse immaculée tendue sur ses formes affaissées et dissuasives. Nul interne n'eût songé, depuis l'âge de pierre, à quémander auprès de l'insubmersible Madame Brégançon le moindre ersatz de sollicitude maternelle, voire féminine. On ne savait rien d'elle, on la brocardait à peine, et elle avait manifestement déserté la place sans bruit ni cérémonie. Mademoiselle G. Léoty lui succédait. Le nom, brodé sur la blouse, plut à Paul, même si l'initiale l'inquiétait un peu. Georgette, Gisèle, Gertrude, Gilberte, Ginette, il pataugeait dans le marigot des prénoms, mais le nom avait de l'élan, de la tenue, et vibrait d'une onction élégante qui faisait image. Fiévreux et languissant, il pensa à des navires, à des envols de grives aussi, aux premiers matins mordus d'automne, quand s'ouvre le faste temps de la chasse. Il devint attentif à la voix, grave voilée chaude moirée veloutée. Il épuisa ses adjectifs. Il s'appliquait, les yeux fermés, divagant et ramassé dans sa peau. Granuleuse, peut-être, la voix de Mademoiselle Léoty, mais pas rocailleuse, ni éraillée ; caressante ; non, pas caressante, le contraire, presque le contraire, ça vous passait dessus, vous passait au travers, vous rentrait dedans, vous touchait à l'intérieur, sous la peau. Le troisième jour, le mercredi, il s'arrêta sur chaude et granuleuse, et sut exactement à quel point c'était aussi sexuel. Les jours suivants, il s'appliqua à faire durer. Janvier s'effilochait dans le gris ; son frère, seul visiteur autorisé, fut chargé de faire courir des bruits alarmants sur le caractère contagieux de son état afin de décourager les intrépides de la garde rapprochée qui fomentaient une intrusion nocturne et clandestine. Paul voulait le huis clos ; l'heure était grave ; sous l'uniforme blanc de Mademoiselle Léoty palpitait le Graal, ça ferait l'affaire. Il lui donnait la trentaine ; le visage était austère et la bouche déjà pincée, mais les oreilles parfaites, les yeux clairs, le cou souple, la nuque fraîche, les cheveux bruns ramassés en un chignon que l'on devinait onctueux sous le mince calot réglementaire. Tout annonçait des félicités certaines. Il ne s'étonna pas de cet instinct très sûr qui lui épargnait le doute et les atermoiements des débuts. Il se savait beau, il avait faim, il était jeune, et cette femme, qui ne l'était plus tout à fait, le voyait. Il le sentait, il l'avait senti, dès le jeudi ; pendant la visite du soir, elle n'avait ni rougi ni détourné le regard au moment où, assis au bord du lit, guettant son approche, il s'était avancé vers elle, en pyjama bleu et en état de tumescence manifeste, sous le prétexte d'éprouver la fermeté retrouvée de son pas. Il chancelait, elle l'avait saisi aux épaules, ils étaient de même taille. Elle avait enfoncé en lui l'éclat cru de ses yeux clairs, elle avait dit, d'une voix presque rieuse, recouchez-vous jeune homme on est presque toujours bancal sur trois jambes.

Samedi 19 août 1950

André avait toujours eu deux mots pour ses mères. C'était un peu difficile à expliquer. Il disait maman pour Hélène, sa tante, qui l'avait élevé à Figeac, et ma mère pour Gabrielle, sa mère, qui habitait Paris ; il ne l'avait côtoyée que quatre semaines par an pendant les dix-sept premières années de sa vie, et moins encore depuis qu'il ne vivait plus dans la maison d'enfance. Juliette avait déjà été présentée à Hélène et Léon ; il l'avait fait dès le printemps de 1949, moins d'un an après leur première rencontre, quand il avait été sûr ; même si, d'une certaine façon, il avait été sûr dès le début, dès qu'il avait vu Juliette, avant de lui avoir parlé. Il aimait penser à ça, comment il avait su, pour Juliette, tout de suite, et pour toujours. Au maquis, il avait connu une femme plus âgée que lui, une réfugiée du Nord qui était peut-être juive, avait été mariée dans une autre vie et se faisait appeler Silvia. On avait envie de lui poser des questions mais on n'osait pas. Une fois, elle lui avait demandé son âge, le vrai, et lui avait dit qu'il ressemblait beaucoup, en plus jeune, à son frère dont elle était sans nouvelles depuis octobre 1940. Il avait pensé, sans le dire, que c'était peut-être un critère discutable pour choisir un amant dans une troupe de mâles tous plus ou moins affamés et affûtés par le sentiment de vivre à la proue d'eux-mêmes. Cette femme, Silvia, disait ça, vivre à la proue, être affûté ; elle parlait souvent avec des images qui ne se comprenaient pas tout à fait du premier coup mais se plantaient dans l'os et y restaient. Elles y étaient encore, celle de la proue et d'autres ; elles remontaient au moment où il s'y attendait le moins et il ne luttait pas, il s'inclinait, il laissait faire, il était fidèle. Silvia lui avait aussi appris que son prénom, André, venait d'un mot grec qui désignait l'homme viril, le mâle, par opposition à l'homme au sens général du terme, l'être humain, hommes et femmes, mêlés ; elle ajoutait, emmêlés, et elle riait. Elle riait beaucoup, elle riait trop, elle riait sauvage, elle disait aussi, catastrophique ; un rire sauvage ou catastrophique. Elle avait un côté professoral, même dans le rire. Elle savait le latin et le grec. Elle avait été sa première femme, et à peu près la seule avant Juliette. Il n'avait pas parlé de Silvia à Juliette. Elle était au courant pour le maquis parce que tout le monde l'était. Quand, après la guerre, Pierre avait retrouvé son poste à l'usine, il avait fait la pluie et le beau temps. La direction, qui avait gentiment travaillé avec Vichy d'abord et pour les Allemands ensuite, ne pouvait rien refuser à un héros de la France Libre. Il les avait fait embaucher tous les trois, Christian, Yves et lui, parce qu'il les connaissait, savait de quoi ils étaient capables, et aussi parce que la guerre les avait saisis dans le plein élan de leur jeunesse, avait empêché des études, un apprentissage. À l'automne de 1945 il avait fallu trouver une place pour gagner sa vie. Pierre avait presque deux fois leur âge, il aurait pu être un père pour eux et, d'une certaine façon, il l'était devenu, surtout pour lui. André aurait aimé le choisir comme témoin de mariage, mais il n'avait pas osé, Christian et Yves n'auraient pas compris, ça aurait mis une sorte de gêne entre eux, Pierre était aussi leur patron, à tous les trois ; mais Christian et Yves avaient un père, pas lui, pas comme eux en tout cas. André s'en voulait de penser ces choses, il se contentait de les penser et n'en parlait pas, sauf à Juliette. Elle comprenait qu'un jour il chercherait à savoir ; il aurait fallu poser des questions à Gabrielle qui n'avait jamais rien dit ; mais on ne pouvait pas parler à Gabrielle, même Hélène ne le pouvait pas, et André encore moins. Tout glissait sur Gabrielle. Elle n'était ni hostile, ni fermée, mais elle échappait, on ne savait pas comment l'atteindre. Pourtant il fallait la voir embrasser sa sœur, son Hélène sa Lélou son alouette, quand elle arrivait à la gare de Figeac, quand elle en repartait. Les yeux fermés, et plusieurs fois, à pleins bras, ça ne finissait pas ; autour d'elles, sur le quai, on attendait. Gabrielle était l'aînée, d'une petite année. Les deux sœurs ne se ressemblaient pas, sauf pour la voix ; rien dans le corps ni dans les gestes, mais les voix étaient les mêmes, avec quelque chose de presque grave, de voilé, plus enveloppant et tendre chez Hélène que chez Gabrielle. Les intonations, les inflexions étaient tellement semblables que Léon et les cousines s'y trompaient parfois, quand on se parlait à la volée, d'une pièce à l'autre, surtout si Gabrielle était là depuis plusieurs jours et se fondait dans le décor. André ne s'y trompait pas et, pour lui, Gabrielle ne se fondait jamais dans le décor ; l'expression était d'Hélène qui ne l'employait que pour sa sœur.

Gabrielle avait sa place au 8, rue Bergandine où elle passait quatre semaines par an, une à Noël, et trois en août. Elle dormait à l'étage, dans la chambre verte, que tout le monde appelait la chambre de Gaby. Hélène allait la chercher au train de cinq heures avec André, les cousines, et Léon s'il n'était pas au magasin. Gabrielle débarquait en Parisienne, chapeautée, gantée, finement chaussée, toilette ajustée, bagage soigné, un rien de dur dans le jet du corps, et repartirait dans le même équipage. La métamorphose s'opérait avec les embrassades, sur le quai de la gare ; quelque chose en elle s'élargissait. Assouplie, déliée, elle se penchait, Hélène à ses côtés ; elle embrassait André, trois fois, en l'appelant Dadou, comme tout le monde. Plus tard, le soir, ou le lendemain, elle lui dirait, l'effleurant du regard, refermant une main chaude et sèche sur son poignet droit, qu'il avait grandi, qu'il était beau, de plus en plus beau, qu'elle était fière. Hélène et Gabrielle se tenaient les coudes ; ça venait de l'enfance qu'elles avaient traversée, les deux, comme un rude pays ; elles n'en parlaient à peu près pas mais on le comprenait. Trois frères aînés, dont deux avaient été tués dans la Somme, un père mort encore jeune quand Hélène n'avait que dix-sept ans, une mère usée qui avait, elle aussi, vidé tôt la place avant la naissance des cousines, une ferme perdue au-dessus de Gramat, sur les plateaux, trois vaches, de la caillasse des chèvres des moutons ; le frère rescapé, qu'elles ne voyaient pas, y vivait encore en vieux garçon esseulé. Hélène et Gabrielle aimaient la plaine, les pays bas et moelleux, et les commodités de la ville. Gabrielle était partie à Aurillac et ensuite à Paris où il était né, lui, André, quand elle avait déjà presque trente-sept ans. Hélène était auprès d'elle et avait passé quatre semaines à Paris où tout lui avait déplu, les logements petits et confinés, la hâte, le gris têtu, le froid humide de février alors que, dans le Lot, le printemps pointait, on avait des primevères autour de la maison et le pépé s'apprêtait déjà à retourner le jardin. Elle n'avait pas aimé surtout ce que son instinct de femme douce et droite devinait de rugueux et de verrouillé dans la vie de sa sœur. À Figeac, Léon et ses parents, le pépé et la mémé, s'occupaient des trois filles qui piaffaient, impatientes de voir rentrer leur mère avec ce cousin tard venu que l'on garderait, que l'on élèverait tant que la situation de Gabrielle ne serait pas régularisée. Le mot, régulariser, était de la mémé, qui aimait son unique belle-fille, cette Hélène providentielle, sa joie, sa paix, mère de ses trois petites-filles, au point d'adopter aussi la sœur aînée, ce cheval échappé qui avait d'abord fait l'infirmière à Aurillac, était maintenant employée à Paris, on ne savait pas trop dans quoi, et avait fini par attraper un enfant, un garçon, sans père. Un garçon, c'était toujours mieux quand on n'avait pas de père ; la mémé, on ne l'appelait jamais autrement, avait dû penser aussi que ça n'était pas un exemple à suivre pour les filles de Léon et Hélène, et encore deux ou trois choses peut-être moins amènes. Elle les avait sans doute dites à sa belle-fille, parce qu'elle ne pouvait rien lui cacher, ni le bon, ni le mauvais, ni le reste ; on était transparent devant Hélène. Ensuite la mémé avait été comme tout le monde dans la maison, c'est-à-dire folle de ce petit André qui avait eu autour de lui cinq femmes et deux hommes éperdus, sans compter les voisines de la rue Bergandine et, plus tard, toutes les maîtresses d'école. Gabrielle, fort heureusement, n'avait jamais régularisé la situation, sinon on se demande comment on aurait pu se séparer de cet enfant-là pour le laisser repartir à Paris avec mère et père. On avait gardé le trésor, on avait gardé Dadou ; finalement la vie, parfois, faisait bien les choses.

Avant la guerre, avant de connaître Silvia, André trouvait aussi, comme tout le monde dans la maison, que la vie faisait plutôt bien les choses. Même la guerre, au début, ne lui était pas apparue comme une catastrophe. Il n'aurait pas bien su dire pourquoi. Il avait eu seize ans en 40, il s'était affairé avec tout le monde, on n'avait pas vraiment réfléchi, on s'était organisé, des gens arrivaient de partout et Gabrielle avait débarqué dès le mois de juin. Hélène et Léon se multipliaient. La mémé était morte en mai 39, un an après le pépé, et leur petite maison, restée vide, avait repris du service pour deux sœurs qui venaient de Dormans et s'étaient jetées sur les routes avec leurs trois enfants, sans nouvelles des maris, encore soldats ou déjà prisonniers. On avait ensuite recueilli un couple de retraités complètement perdus, réfugiés des faubourgs de Reims, la peur au ventre. Pire qu'en quatorze, ils répétaient ça, pire qu'en quatorze, jamais ils ne repartiraient, plus jamais, plutôt mourir qu'être envahis une troisième fois, à leur âge, on ne les déplacerait plus, tant pis pour ce qu'ils avaient laissé là-haut. Ils étaient restés et, au bout de dix ans, ne se distinguaient de l'autochtone que par un tenace accent traînant. Le vaste potager du pépé était devenu leur royaume, Léon n'étant pas porté sur les travaux

50

légumiers, et ils s'émerveillaient sans fin du climat débonnaire et généreux d'un département où ils regrettaient de n'être pas nés et mourraient assurément. Ils seraient au mariage, comme quasiment tout le quartier, ou du moins la rue Bergandine qui avait vu grandir André et se réjouissait de le savoir nanti, à vingt-six ans, d'une situation pleine de promesses et d'une fiancée rieuse. Le jeune ménage habiterait Toulouse où Juliette travaillait aussi ; ils viendraient souvent, c'était facile avec les voitures de maintenant, les femmes se mettaient à conduire. Il fallait voir André, Dadou, donner une leçon de créneau à sa Juliette, on en profitait, c'était des rires à n'en plus finir. Léon, piètre conducteur, y allait de ses commentaires prolixes et impérieux, André se serait presque énervé. On se régalait surtout de la joie contagieuse qu'ils avaient toujours eue dans cette maison, c'était une bonne maladie quand on en connaissait tant de mauvaises, et cet André né sans père avait eu de la chance dans son malheur. Il avait transformé l'essai. Il avait assez mouillé le maillot dans l'équipe de rugby de Figeac pour mériter la haie de ballons ovales au sortir de l'église. On ferait une vraie belle fête, histoire d'oublier les tickets de rationnement et les fins de mois encore acrobatiques. En septembre 44, Silvia avait disparu ; un matin

51

elle n'avait plus été là. On n'avait pas expliqué. Pierre, qui devait savoir, n'avait rien dit et six ans plus tard il se taisait encore. En 44 André s'était senti démuni et délesté à la fois ; cette femme était trop grande pour lui, pas trop vieille ni trop lourde, trop grande. Elle allait dans des endroits où il ne pouvait, lui, André, ni la suivre, ni la précéder, ni même l'accompagner ; et la peau n'y changeait rien. Il avait aussi appris ça, avec elle ; que les fastes affaires des corps et cette confiance muette qu'elles supposent n'empêchent pas d'être seuls. Les autres savaient, pour Silvia et lui. Au début on avait senti que ça coinçait, ça grinçait ; une femme isolée dans un groupe, c'était souvent difficile ; et encore plus une femme comme celle-là. Pierre était le chef, et Silvia son lieutenant, en quelque sorte, il n'y avait pas de mot au féminin. C'était à Pierre de régler la question avec elle, s'il l'estimait nécessaire. Pierre n'avait pas bougé, il avait dû sentir que Silvia saurait se tenir et maîtriser la situation, sans mettre quiconque en danger. Il avait eu raison. Ensuite, à l'automne 44 et pendant les mois qui avaient suivi, André s'était tellement démené de tous les côtés avec Pierre, Christian, Yves et les autres qu'il n'avait presque plus pensé à Silvia, sauf, parfois, du fond du corps. Il avait compris qu'il lui était attaché comme ça aussi.

Jusqu'à Juliette, les autres femmes ne lui avaient pas vraiment fait envie ; Silvia aurait dit qu'elles ne lui donnaient pas faim. Il avait dans l'oreille sa voix et ses façons de s'arranger avec les mots. Il sentait avec le temps que certaines expressions lui resteraient, feraient partie de lui pour toujours, et, en général, il les gardait pour lui, parce qu'elles n'allaient pas avec son monde, elles n'entraient pas dans les cases des choses, elles se débattaient sous sa peau comme des bêtes prises au piège, elles rejoignaient ses eaux souterraines. André n'aimait pas les gouffres, pas même celui de Padirac qui s'ouvrait à moins d'une heure de Figeac, en voiture, et dont raffolait toute la tribu d'Hélène et de Léon. Il n'aimait pas ces eaux noires qui creusent des abîmes dans la nuit. Il avait choisi la lumière le chaud le jour la joie. Juliette avait plu à tout le monde, sans rien faire, comme ça, parce qu'elle était comme elle était. Elle avait plu à Hélène et à Léon, aux trois cousines, aux trois maris des trois cousines, et aux cinq filles des trois cousines et de leurs trois maris. Les cinq filles seraient demoiselles d'honneur au mariage. On cousait des robes, on inventait des gants au crochet, on fomentait des bouquets, on s'affairait de tous côtés, on se déployait, on s'ingéniait. La mère et la sœur puînée de Juliette tiraient aussi l'aiguille à Sarlat. André devinait tout mais ne verrait rien avant la date fatidique. Juliette serait un trésor neuf. Le lendemain du mariage, le soir, après six heures de route, les valises encore ouvertes derrière eux sur le grand lit, ils se tenaient au balcon devant la vue large sur l'Océan vert et bleu. Juliette avait voulu l'Océan et un hôtel bien placé, au ras des vagues. On s'était renseigné, on avait loué pour six jours, jusqu'au samedi suivant, on pouvait se le permettre. André sentait contre lui, contre son bras droit, la vive chaleur de l'épaule blonde de Juliette. Elle avait jeté d'un seul élan, comme on récite un poème devant le maître et la classe, sans le regarder, sans respirer, et sans bouger, le corps vrillé, ta mère m'a dit hier pour ton père, il s'appelle Paul Lachalme il est né en 1903 il a quarante-sept ans seize ans de moins qu'elle ils se sont connus à Aurillac au lycée de garçons il est avocat il vit à Paris boulevard Arago dans le quatorzième arrondissement au 34 il a une maison et des biens de famille un hôtel des terres à Chanterelle dans le Cantal.

Vendredi 17 août 1934

Elle est partie. Sa mère est partie, le train l'a emportée. Il préfère qu'elle ne soit plus là, mais il sent qu'il ne faut pas le dire, ni le laisser paraître, même si on ne cache rien à Hélène. Lui, André, ne peut rien cacher à Hélène qui voit à travers sa peau, à l'intérieur de ses os, dans les plis emmêlés de son cerveau. Hélène voit, mais elle ne gronde pas, elle ne juge pas, ne fronce pas le sourcil, n'élève pas le ton, ne pince pas la bouche. Elle embrasse, elle prend sur les genoux, elle ne dit pas beaucoup de paroles. Elle prépare un gâteau, on va avec elle au jardin cueillir des fraises tièdes ou des framboises velues, elle caresse la nuque à la naissance des cheveux. Il ne comprend pas comment Gabrielle et Hélène peuvent être sœurs, et filles du même père et de la même mère ; il n'a pas connu les grands-parents, il les voit sur la commode dans la chambre de Léon et Hélène, sur la photo ils sont déjà vieux et se tiennent raides dans leurs gros habits, la grand-mère a un peu de moustache ; ils sont tristes parce qu'ils ont perdu deux fils à la guerre, à la Grande Guerre, Léon le lui a expliqué. Gabrielle ne ressemble à personne, elle est sa mère, elle vit à Paris, elle vient deux fois par an, une semaine à Noël et trois semaines en août. Quand elle n'est pas là, on parle d'elle en disant Gaby, on ouvre les volets et la fenêtre de sa chambre, pour aérer, et on pense à elle parce que, dans cette maison, on a de la place et du temps pour penser à ceux qui sont loin. Il préfère que Gabrielle soit loin, mais il se tait. Il l'a embrassée à la gare, il a senti son parfum de Paris, le parfum des arrivées et des départs, qu'il garde dans le nez et la gorge, il le respire encore, le mâche, l'avale et le déglutit. À Figeac, l'été, sa mère ne se parfume pas ; elle se lave beaucoup, longuement, elle dit que la chaleur tue le parfum. André écoute sa mère et ne lui pose pas de questions, jamais. Gabrielle porte des robes claires, ajustées sur sa taille mince, qui découvrent à peine le mollet, la cheville, les poignets, la nuque et le cou. Elle fuit le soleil, ne se baigne pas, ne se baigne plus. Elle vient d'avoir quarante-sept ans, il a calculé que c'était une vieille mère, même si elle reste longue et vive dans ses robes de Paris. Quand le museau carré et chaud de la locomotive est apparu au bout du quai, Léon a sauté dans le wagon pour caser les valises de la Parisienne. Léon parle comme ça, il a ses mots à lui qu'André aime bien ; ce sont des mots qui arrangent les choses, font rire, ou sourire, et consolent le monde. Il préférerait qu'Hélène et Léon soient ses vrais parents, et les cousines ses vraies sœurs. Il préférerait mais il a toujours su la vérité. Gabrielle est sa mère et on ne connaît pas son père. Il en a un, mais personne ne le connaît. Il vit certainement à Paris, mais pas avec sa mère ; ou à Lyon, ou à Marseille, loin et dans une grande ville. S'il vivait dans un petit endroit comme Figeac, il ne pourrait pas être son père sans être connu de tous. Pas de père inconnu à Figeac. Depuis quelques jours, sans savoir pourquoi, André se demande si ce père aurait voulu le connaître lui, André, s'il voudrait le connaître. Il a un père inconnu, et il serait donc lui aussi un fils inconnu. Il hésite, il cherche, les mots glissent. On revient de la gare à pied, c'est tout près, il traîne un peu derrière les cousines, Hélène et Léon sont loin devant eux. Le pépé et la mémé ne viennent jamais à la gare ; Gabrielle va leur dire au revoir chez eux et ils lui répètent toujours de faire attention, là-haut, à Paris. André ne sait pas à quoi sa mère, qui a l'air si solide, si rapide, si efficace, doit faire attention. Les enfants font attention, les vieux aussi, qui deviennent fragiles et lents, mais les adultes n'ont rien à craindre, surtout sa mère. Il cherche à comprendre, les cousines marchent devant lui et il entend leurs voix mêlées. Il sent la chaleur mordante du milieu de l'après-midi sur sa nuque son dos ses mollets nus. Il voudrait ne pas ruminer, ne plus ruminer ; encore un mot de Léon pour les pensées qui ne vous lâchent pas, creusent un trou dans le ventre et serrent la poitrine. Il rumine et, pour la première fois, se demande si ce père inconnu sait qu'il existe lui, André Léoty, dix ans. Il se plante là, à deux pas du portail de la cour, sous le platane. La question le saisit ; il sent, avec ses jambes ses bras son ventre, qu'elle est trop grande pour lui. Il se débat, il pense à la grammaire que le maître d'école leur apprend. Il aime l'école le maître la grammaire, et les autres matières, il est d'accord pour tout. Il aurait voulu suivre aussi le catéchisme avec les enfants de son âge ; mais sa mère n'y tenait pas, elle a dit, il est baptisé et ça suffit ; Hélène et Léon n'ont pas insisté et il croit comprendre que la dame du catéchisme et le curé, qu'il connaît, comme tout le monde à Figeac, ne doivent pas être très à l'aise avec les fils de pères inconnus. Inconnu est un adjectif qualificatif, il en est certain, il peut compter là-dessus, sur la grammaire. À père inconnu, fils inconnu. Ce père et lui auraient en commun un adjectif de trois syllabes dont la première est un préfixe de sens négatif et les deux suivantes un participe passé. Planté devant le portail, dans le gros soleil, mordu de soleil, il est sûr de son affaire grammaticale. Donc un adjectif en commun ; mais lui, André, dix ans, a un avantage sur ce père. Lui, André, dix ans, sait que ce père existe, forcément, ou a existé avant sa naissance, tandis que ce père ne sait peut-être pas qu'il a ce fils, un fils, André Léoty, dix ans, Léoty est le nom de sa mère, et le nom de jeune fille d'Hélène ; il aime ces mots, le nom de jeune fille, sa mère a dû être une jeune fille aussi, il devine plus ou moins que les femmes sont des jeunes filles avant la naissance des enfants, mais les femmes qui sont de vieilles mères sans mari, comme la sienne, ne restent quand même pas des jeunes filles plus longtemps que les autres ; on dit jeune fille et enfant de vieux ; ses cousines sont des jeunes filles et lui un enfant de vieux ; il ne voit pas sa mère jeune fille, comme le sont les cousines ; Hélène oui, mais pas sa mère. Il faudrait demander à Hélène, mais il ne le fait pas, il n'ose pas le faire.

André Léoty, dix ans, planté dans le soleil devant le portail de la maison d'Hélène et de Léon, le 17 août 1934, un peu avant quatre heures de l'après-midi, est le fils inconnu de ce père inconnu. Ce fils revient de la gare de Figeac d'où est parti le train de Paris qui emporte Gabrielle, sa mère. Sa mère, ce père, ce fils ; il sait aussi la différence entre l'adjectif possessif, pour sa mère, et l'adjectif démonstratif, pour ce père et ce fils. Léon dirait que ça n'est pas la même musique, pas du tout, ou pas la même chanson. À l'école, le maître fait réciter des listes, toutes les listes de la grammaire, et André ne se trompe jamais, surtout avec son maître d'école qu'il aura encore pendant toute la deuxième année de cours moyen. Le maître, l'école, les listes, inconnu, ce père, fils inconnu, André respire un grand coup, comme Hélène dit qu'il faut le faire quand les ratons laveurs vous mordent le cœur. Hélène a aussi ses expressions et il les retient toutes parce qu'elles riment. La rime est un jeu entre Hélène et lui. Elle sait des fables de La Fontaine qu'elle a continué à apprendre, même après l'école et le certificat. Hélène a son certificat, pas Léon. Gabrielle est infirmière, elle a été infirmière longtemps, à Aurillac, dans le Cantal, où on ne va jamais, mais pas à Paris ; André ne comprend pas bien quel est le métier de sa mère à Paris. On l'entend parler du bureau, du dépôt, du magasin. Il ne la voit pas soigner des gens, Hélène oui, mais pas Gabrielle. La pensée de Gabrielle, de son parfum pointu, du train, du quai, tourne derrière ses yeux. Il s'appuie au portail, les épaules le dos les fesses ; il se gîte contre le portail tiède, sous le platane qui l'enveloppe dans son ombre douce. Il pense aux listes, au maître ; les ratons laveurs se calment. Pas de ratons laveurs dans les fables de La Fontaine qu'il dit avec Hélène, à sa suite, en chœur ou en duo. Léon adore ça, il en demande et redemande. Les cousines se moquent ; elles ont dix-huit, dix-sept, et quinze ans, elles sont grandes, elles rient, elles sont ses cousines-sœurs, ses cousines-fleurs. Il pense à leur tourbillon, à leur joie. Il se demande si elles savent pour les ratons laveurs, si elles en ont aussi à l'intérieur de leur poitrine, ou plus bas, dans le ventre, sous le nombril. Peut-être que les ratons laveurs n'osent pas s'attaquer à la poitrine des filles, des cousines, des sœurs. La poitrine des filles. Il aspire encore l'air chaud, une mince goulée. Sa mère est partie, repartie, dans son Paris, pour presque cinq mois. Quand elle reviendra, il sera encore plus costaud, il aura derrière lui presque cinq mois d'école avec Monsieur Brunet qui va lui faire préparer le concours d'entrée en sixième. Le platane bruisse imperceptiblement dans la chaleur blanche de l'après-midi, comme s'il soupirait. André sent des dangers derrière le platane et ailleurs, il est pressé de devenir costaud mais il aime ce soupir du platane. À Hélène seulement il pourrait parler du soupir du platane, pas aux cousines qui se moqueraient et l'ont déjà surnommé Martine. À cause de Lamartine, un poète qu'elles aiment. Pas lui ; il préfère cent mille fois La Fontaine. Le platane soupire. Sa mère s'éloigne. Soupir rime avec sourire, et cousines avec poitrine. Il pense à la poitrine des cousines ; il la sent contre lui quand elles le serrent. Les cousines le serrent souvent, elles ont toujours fait ça. Elles sont terribles quand elles se moquent mais il aime plus que tout le nid de leurs bras, et le rond et le chaud de leurs seins sous les tissus. Il ne dit le mot sein que pour lui, dans le secret de sa bouche. Il sait qu'il a beaucoup de chance avec les cousines ; il comprend que les autres garçons, souvent, sont privés de poitrines, de seins. Ils les regardent, ils y pensent, ils en parlent entre eux. Il a déjà entendu les grands de la classe du certificat sous le préau, il sent que c'est difficile et rare pour eux de toucher la poitrine des filles à travers les tissus. On n'espère pas les voir, les seins, la poitrine, les voir en vrai. Lui ne les voit pas non plus, les cousines ne les lui montrent pas, mais elles le serrent, et il les sent, et c'est le paradis. Le platane frémit, il ne soupire plus. Un rien de vent, un fil léger, vibre dans l'air chaud et bleu. André respire. Il regarde ses mains. Tes mains de pianiste, dit sa mère ; elle parle beaucoup des mains d'André, de ses poignets, des leçons de piano qu'il faudrait prendre. Il trouve ses poignets trop minces et ses mains trop longues. Il serait presque embarrassé de ces doigts qui n'en finissent pas. Heureusement ses pieds sont normaux. Hélène dit que c'est comme pour les chiots, qui ont de grosses pattes et un petit corps, ça s'arrangera avec le temps. Quand il aura terminé sa croissance, l'équilibre sera rétabli entre ses mains trop longues et le reste de son corps. Hélène et Claire, sa cousine préférée, celle du milieu, le disent, et il les croit. Il attend. Il sait qu'il faut attendre, les enfants attendent. Il ne veut pas prendre des leçons de piano. Heureusement on n'a pas ça à Figeac, il faudrait courir peut-être jusqu'à Cahors pour les leçons. Gabrielle lance des paroles en l'air, mais elle n'insiste pas, et elle repart, avec son parfum dur, ses robes de Paris, et son piano. Il entend son prénom jeté dans l'air, c'est Claire, elle l'appelle, plusieurs fois ; elle dit, tu viens Dadou on va se baigner au Jaladis, viens. La joie bondit dans ses os, il lâche le portail, le platane, le piano de Gabrielle, le train et la gare. Il a dix ans et c'est l'été pour toujours. Claire l'appelle. Les trois filles fileront sur leurs vélos, Hélène aussi. Claire le prendra sur son porte-bagages, elle passe toujours devant les autres, ils glissent dans la lumière qui les avale. André ne pèse pas, Claire le dit, Dadou est comme un oiseau, on ne le sent pas derrière soi. Il tient Claire à la taille, il l'accompagne, la taille de Claire est tiède et menue. Claire ne se penche pas, son buste reste droit. La ligne de ses épaules, la coulée rousse de ses cheveux sucrés, le chapeau de paille blonde, un vieux chapeau de son père qu'elle réveille d'un ruban bleu vif, sont tout l'horizon d'André ; et le monde redevient parfait. Au Jaladis, l'eau verte luit sous l'arceau chevelu des saules. Les berges sont abruptes, on se tord les pieds sur des cailloux pointus, Hélène nage longtemps, il aime le maillot rayé que Claire a choisi pour lui et les corps blancs des cousines sont un vivant bouquet dans la lumière dansante.

Mercredi 20 juin 1923

Les mains de Paul font merveille. Gabrielle ne se lasse pas des mains longues de Paul. Elle sait depuis le début qu'il partira, qu'il la laissera, parce qu'elle a seize ans de plus que lui et qu'elle lui a tout appris des femmes, ce qu'un homme comme lui ne saurait pardonner à aucune femme. Paul est un jeune chien un sauvage un rusé ; il fait sa cour, il butine, il coule des regards de velours, il s'aiguise, il s'affûte, il a vite appris ; il plante ses crocs, il sera capable de tout, il ne sera pas recommandable. C'est son type d'homme, elle le sait depuis longtemps ; elle sera déchirée, comme jamais encore elle ne l'a été, c'est le prix à payer, le prix de l'ivresse. Elle n'aime ni les doux, ni les gentils ; il lui faut la férule, les grands airs ; elle se voue aux flamboyants, aux flambeurs, aux fulgurants, aux ardents qui brûlent tout ce qu'ils touchent. Dès le premier coup d'œil, à l'infirmerie du lycée de garçons d'Aurillac, en dépit du pyjama bleu de pensionnaire et de la bronchite, elle avait compris de quoi il retournait, à cette nuance près que, cette fois, les circonstances lui fournissaient un mince avantage ; le garçon promettait et elle avait un peu plus de deux ans, jusqu'au baccalauréat, pour le faire à sa main. Elle s'était renseignée, en toute discrétion, sur le pedigree de Paul. La famille tenait un hôtel, qui faisait aussi office de restaurant et de café, dans un gros bourg, à l'autre bout du département, aux confins du Puy-de-Dôme. Le père était élu de la commune et du canton, depuis des années, et mordu d'ambition. Dans ces tribus paysannes, les rejetons mâles de la troisième génération partaient faire leur droit, ou leur médecine, à Paris. Paul suivrait le mouvement et les injonctions paternelles. Il voudrait avant tout s'inventer une place sous le soleil de la capitale et porter haut le nom de la lignée. Le vieux pays serait trop petit pour lui, trop lent, trop usé ; la longue saignée de la guerre avait raboté les villages, laissant les familles exsangues et résignées, confites dans des deuils innombrables voués à ne pas finir. Paul Lachalme voudrait vivre et briller, tout avoir et jouir des beaux fruits ; il ne finirait pas en notaire de province, garni d'enfants, paterne et bedonnant. Il le disait ; à Aurillac, déjà, il convoquait l'avenir dans la chambre bleue de Gabrielle, il s'emballait et tournait en rond, comme renardeau en cage, entre le lit et l'armoire à glace, dans la chambre bien chauffée au dernier étage du 18, rue des Carmes ; il visait le barreau de Paris, les envolées de robe, les plaidoiries d'anthologie et la gloire du verbe qui sauve ou condamne. Il laisserait la médecine à son frère qui avait le goût des autres. L'appartement de Mademoiselle Léoty était douillet et l'immeuble avait deux entrées, dont l'une, discrète, autorisait bien des fantaisies, dans une préfecture confinée où tout le monde avait l'œil et s'appliquait à tout savoir sur chacun, notamment sur cette infirmière assez jalouse de sa liberté pour vivre seule loin de sa famille, et s'obstiner à travailler à domicile, avant d'obtenir l'unique poste du lycée de garçons, libéré par le départ à la retraite de son antique et dissuasive titulaire. Plusieurs hommes, assez invariablement mariés, avaient pratiqué l'entrée dérobée de la rue des Carmes et la chambre bleue de Gabrielle. Paul Lachalme était le plus jeune, le plus capiteux et le plus dangereux. À Paris, la chambre de Gabrielle était aussi tendue de bleu. Paul s'y faisait de plus en plus rare ; il courait

d'autres lièvres, Gabrielle le sentait, le savait.
On n'en parlerait pas, ça se passait de mots et
elle ne lutterait pas. Paul lui glissait entre les
doigts et s'effacerait bientôt de sa vie. Il avait
de grands goûts, pouvait prétendre à un beau
mariage, mais aussi et surtout aux accointances
efficaces que savent ménager les maîtresses choi-
sies, avides de procurer à l'amant tout neuf,
par le truchement d'époux cossus et introduits,
mille grâces utiles. Gabrielle devinait et flairait
ces manœuvres plus qu'elle ne les savait. Elle
connaissait mal les milieux et cercles que fré-
quentait Paul et n'avait pas même cherché à
s'y faire admettre. Elle ne prétendait à rien ;
elle l'avait suivi à Paris, y avait débarqué dans
son sillage mais pas avec lui. Il avait toujours su
garder ses distances ; pas de sorties en amoureux, ni de spectacles partagés, ni de joyeuses
tablées estudiantines. Ça n'était pas du rôti pour
elle, eût dit sa mère, si elle avait pu avoir la
moindre idée de la vie singulière que mènerait
un jour à Paris cette fille aînée dont l'irréduc-
tible volonté d'indépendance l'avait toujours
effarée. Gabrielle secoue la tête sur l'oreiller,
bat des paupières. Tant que Paul est là, au long
d'elle, sur le lit, dans la chambre bleue, tant qu'il
fume en silence, tant qu'ils sont nus ensemble,

elle ne veut pas penser aux années d'Aurillac, à la griserie des débuts, à la mère acerbe et très morte, et à la conjugalité limpide d'Hélène, sa parfaite sœur puînée.

Elle bat des paupières et avale l'instant, le boit le respire, et s'en nourrit, jusqu'au fond des os. Elle se retient de humer, encore et encore, à bouche fondue, la commissure douce des yeux longs de Paul et le creux parfait de ses oreilles ; la tendresse est un luxe, un risque ; il serait agacé ; il change et se retire. Il est de plus en plus beau, son acmé sera longue et il avance vers elle, éperdu de lui-même. Gabrielle l'écoute et donne parfaitement la réplique. Il aime ça chez elle ; il dit, ton oreille et ton velours. Le velours, c'est pour la peau, et elle lui a soufflé le mot. Il excelle à s'emparer des mots des autres, il en fait son affaire et son miel au point d'oublier très vite d'où ils lui viennent. Elle l'écoute ; sa voix n'est plus la même, les pointes d'accent ont été ravalées, elle a pris un timbre étrange, à la fois métallique et vibrant, légèrement nasal ; Gabrielle s'enfonce dans cette voix, dans les méandres de ses inflexions. La main gauche de Paul s'attarde sur sa hanche, glisse vers le creux de l'aine, le haut de la cuisse. Paul est un insatiable, il n'est pas avare de son corps et de ses sucs, pas encore. Il se dépense, il fournit, il serait presque brave et généreux. Elle devrait peut-être aussi lui apprendre à se faire désirer et à laisser monter les enchères. Il serait certainement très doué. Il s'ébroue, joliment. Toujours, ensuite, il s'ébroue. C'est un reste d'enfance, un cri du corps, quelque chose en lui rescapé du petit garçon glorieux qu'il avait dû être, dans les premières années, entre l'hôtel des parents et l'école du bourg où les deux fils du maire faisaient figure de princes choyés et de miraculés. Il y avait eu un autre enfant, un autre fils qui était son jumeau, et ce que Paul racontait de la mort longue de son frère, dont il ne prononçait jamais le prénom, était, aux yeux de Gabrielle, son secret cuisant, son douloureux épicentre, sa plaie vive. Paul fumait sa seconde cigarette ; il en fumait toujours deux et avait ses routines d'amant. Gabrielle ne voulait pas penser au jumeau supplicié, Paul employait ce mot ; les premiers souvenirs de Paul, quatre ans et demi, quatre ans, huit mois et vingt-quatre jours très exactement, précisait-il, étaient ceux d'un cataclysme lent qui l'avait réveillé dans un cri au matin du jeudi 25 avril 1908 et avait pour toujours labouré la famille, comme on laboure un champ. C'était l'image de Paul et Gabrielle ne l'aimait pas ; elle la trouvait fausse, posée et poseuse, elle n'aimait pas non plus ce mot, supplice, qu'il prononçait avec une sorte de volupté déchirée, mais elle ne le lui avait jamais dit. Elle comprenait que l'emphase était tout ce qu'il avait trouvé à mettre entre ces heures enragées et lui. Paul racontait que la mort d'Armand avait acculé sa mère et sa tante à la religion, son frère Georges, même s'il n'avait que trois ans et demi, à la perfection, son père à l'ambition et lui à la sauvagerie. Gabrielle eût volontiers mêlé les deux derniers termes mais se taisait encore. Elle en avait de moins en moins souvent l'occasion ; l'enfance de Paul s'éloignait, refluait ; il racontait plus rarement, se faisait plus succinct, bâillonnait le petit garçon au moment d'entrer dans sa vie d'homme. Le soir de juin ne finissait pas et la lumière dansait dans les platanes du square ovale de la cité Trévise. Gabrielle, à son arrivée à Paris, ne s'était pas étonnée de retrouver dans les replis du neuvième arrondissement les arbres bruissants et altiers qui encadraient le portail de la maison de sa sœur à Figeac. Elle n'avait jamais eu le goût de la campagne ; la bucolique l'ennuyait ; trop de verdure, c'était son verdict usuel. Elle n'aimait les paysages que policés, travaillés, maîtrisés et n'y prêtait qu'une distraite attention quand, deux fois par an, elle traversait la France en train pour rallier le Lot et retrouver ses trois nièces, chaque fois plus merveilleuses, Hélène, royale en sa joie ordinaire, et Léon, placide, ronronnant, infatigable. Gabrielle se demandait comment elle avait pu vivre plus de trente-trois ans ailleurs qu'à Paris et bénissait Paul de l'avoir, à son corps défendant, acculée à cette décision. Elle s'était arrachée, avait laissé Aurillac, Figeac, le Cantal et le Lot, les regards suspicieux et les silences entendus. Paul, quand il avait su qu'elle le suivrait à Paris, n'avait manifesté ni enthousiasme, ni agacement ; il était flatté, même s'il n'en disait rien, mais elle avait compris qu'elle devrait savoir rester à sa place. Trois ans plus tard, la liberté conquise et éprouvée chaque jour l'éblouissait encore. Elle n'en faisait pas le tour, ne l'épuisait pas, même si, au fond, elle avait gardé avec Paul des habitudes de pensionnaires et de clandestins ; à plus de trente-cinq ans elle ne pouvait pas demander à un poirier de donner des pommes ; les amours licites et officielles de Paul Lachalme se vivraient ailleurs, avec d'autres femmes. Elle n'avait ni l'âge, ni le corps, ni l'extrace nécessaires pour s'aventurer sur ces terres de chasse violente. Le chapitre était clos sans avoir jamais été vraiment ouvert. Depuis six semaines, bientôt sept, elle comptait en silence tandis que Paul s'affairait longuement dans la petite salle de bains, elle voyait dans le miroir la ligne parfaite de ses épaules, sa nuque lisse et claire, son dos, ses hanches ; depuis six semaines et quatre jours donc, elle était entrée en solitude haute. Elle connaissait son corps, elle savait ce qui était en train de lui arriver ; elle n'était pas une oie blanche, elle avait du métier et des heures de vol, eût dit son beau-frère, patelin et rigolard. Elle se découvrait bousculée et étrangement calme à la fois. Elle ne se comprenait plus tout à fait. Pourquoi ruminer ces mots de Léon ; comment avait-elle pu se laisser surprendre ; elle était infirmière, elle avait trente-six ans, bientôt trente-sept, elle n'avait jamais été enceinte, pourquoi maintenant ; et de cet homme, elle hésitait sur le mot, homme jeune homme amant gaillard voyou, elle hésitait sur le mot mais se rendait à l'évidence ; de tous les mâles qui avaient traversé sa vie, Paul Lachalme était le moins capable de faire un père ; et pas seulement parce qu'il n'avait que vingt-et-un ans. Il serait toujours trop plein de lui-même, c'était définitif et il n'y avait rien à espérer. Une ruse de son corps de femme bientôt quadragénaire, voilà à quoi elle se heurtait, se cognait, sans trop s'affoler ni s'écorcher ; elle savait seulement qu'elle ne courrait pas les faiseuses d'anges et garderait l'enfant ; il serait élevé dans le Lot, Hélène s'en occuperait. Debout dans la lumière du soir, Gabrielle suivait du regard le contour de ses seins, éblouissants de rondeur blanche et ferme dans la glace biseautée de la grande armoire ; des seins ragaillardis, glorieux, qui, seuls, témoignaient déjà de son nouvel état. Paul, toutefois, n'avait encore rien vu. Paul ne la voyait plus.

Mardi 5 mars 1935

Paul ne sait pas s'il a du chagrin. Sa mère l'émeut, et il donne le change à tous, à son frère, à la tante, en pleurant sur sa mère, sur ce qui la foudroie et l'enfonce dans l'irrémédiable état de veuve et de vieille femme. Elle vient d'avoir cinquante-deux ans, le 6 février. Il ne connaît aucune autre date de naissance que celle de sa mère. Il respectait son père mais l'avait trop longtemps craint, dans les petites années, pour se sentir parfaitement délié avec lui. Le pli d'enfance était resté, laissant Maître Paul Lachalme, avocat au barreau de Paris, empesé, raide, et comme aux aguets devant un père qui avait toujours balancé à son sujet entre fierté et exaspération. La mère était l'enjeu, vouée à être la chose, tantôt du père tantôt du fils, et s'évertuant à concilier l'inconciliable. Georges n'entrait pas dans cette danse et ne mangeait pas de ce pain rassis ; Georges ne se souvenait pas des heures terribles et n'avait pas eu à survivre au jumeau mort. Pâles et cravatés, altiers, encadrant leur mère en grand deuil, escortés par leur tante non moins endeuillée, Paul et Georges Lachalme se sont tenus devant le caveau orgueilleux, dans le froid bleu et mordant du pays haut. Ils ont serré des mains, embrassé des joues, balbutié les formules d'usage, reconnu des visages vieillis, ravalé des sourires et masqué des perplexités dont ils se feraient plus tard l'aveu, entre frères, dans l'intimité de la maison chaude et douce. La maison première vient de la mère, de son côté ; elle a été agrandie par le père, flanquée d'un vaste bâtiment où l'hôtel-restaurant prospère à l'aise, mais le creux des origines, le berceau tiède, ce sont les pièces de la mère, où elle est née et a grandi, avec la tante, de trois ans sa puînée, dans une enfilade biscornue peuplée de meubles luisants qui est le royaume suffisant des sœurs Santoire, Lucie et Marguerite. En dépit du père, de ses grands airs, de ses colères, foucades et autres caprices, Marguerite n'a jamais vidé la place. Elle a tenu bon, muette et dure, peut-être résignée, sans jamais oser un mot plus haut que l'autre devant ce beau-frère acerbe qui ne la tolérait qu'en vertu du travail domestique fourni gracieusement au service de la maisonnée. Paul se dit qu'elles vont enfin être tranquilles, les deux sœurs ; il pense les deux frangines, mais il sent que ce mot de Paris ne tient pas en ce lieu et à cette heure, à Chanterelle, sous mille étoiles, le 5 mars 1935, au soir de l'enterrement du père tout-puissant. Même si son mot sonne faux pour les deux sœurs, la chose aura bel et bien lieu ; il sait les affaires paternelles rondement menées et très prospères, le gros argent est à l'abri, dans les terres et dans la pierre. Lucie et Marguerite pourront voir venir et vivre en paix sans s'échiner à faire tourner seules l'hôtel-restaurant qu'il se charge de mettre en gérance, lui, dans les meilleures conditions et sans traîner. Il a un carnet d'adresses, il connaît les bonnes personnes. Il va rester quelques jours, au moins jusqu'à la fin de la semaine, le temps de s'entendre avec les *sisters*, qui ne le contrarient jamais. Cet anglicisme désinvolte le fait sourire ; il s'étire entre les draps blancs, brodés à son chiffre. Paul Lachalme est dans la pleine gloire de son corps, l'hiver de Chanterelle lui fouette les sangs, il va prendre en mains les biens de la dynastie, garantir le confort de sa mère et de sa tante, et vaquer benoîtement à ses propres affaires, comme il s'y entend, en digne fils de famille. Le bon père de famille, c'est son frère, c'est Georges, qui lui voue une confiance irrémédiable. Georges va assurer, assure déjà, la descendance, et sauvera le nom. Une deuxième naissance est imminente à Orléans, où Georges s'est établi à la faveur d'un mariage extrêmement cossu. Paul se méfierait volontiers de sa belle-sœur, elle aussi médecin, fille unique d'une longue lignée de notables orléanais, sûre de ses prérogatives et fort peu disposée à se laisser toiser et emberlificoter par son beau-frère, fût-il l'aîné de la fratrie et promu de toute éternité par sa mère, sa tante et son frère au rang de dieu vivant. Madeleine est restée à Orléans, l'enfant est attendu dans la quinzaine, on espère un garçon. Paul grimace au souvenir pénible de Georges, éperdu de joie tendre, lui fourrant dans les bras un robuste nourrisson de trois mois, rose et lourd, empaqueté de blanc, Pauline, sa nièce et filleule. À tout seigneur tout honneur ; il serait le parrain de l'enfant aîné, mais aussi et surtout du premier mâle. À la naissance de Pauline, il avait arraché cette promesse à Georges, sous le regard suspicieux de Madeleine qui ne pouvait fournir aucun parrain, tous les hommes valides de sa famille, son frère et ses trois cousins, étant tombés aux Éparges, à Verdun et aux Dardanelles.

Tombés ; Madeleine dit tombés ; elle n'ajoute pas au champ d'honneur et ne donne nullement dans les bondieuseries qui consolent l'ordinaire féminin. Madeleine est superbe. C'est un sacré morceau de femme, une lionne, une reine, que les maternités successives n'abîmeront pas. Paul a l'œil, il sait juger et jauger, il ne se trompe que rarement ; c'est du fort calibre et de la belle matière. Avec des biens à la clef, maisons et immeubles à Orléans, propriétés en Beauce, chasse en Sologne. L'exercice du métier de médecin, qu'elle entend reprendre aussitôt après la naissance, est en trop ; on n'épouse pas une femme de cette trempe. Georges n'a aucune longueur d'avance, la pouliche fera la course en tête, sur tous les tableaux, et Paul n'aime pas ça. Son frère est tout entiché de son impérieuse Madeleine, mais il eût été mieux inspiré d'épouser une oie bien blanche, courte d'idées et richement dotée ; la vie eût été plus simple, pour tout le monde.

Dans la salle à manger le carillon de Condat assène vigoureusement ses douze coups, une première fois ; Paul attend la récidive, la pensée un instant suspendue. Avant d'aller se coucher, il a remis en marche les six horloges, pendules et autres carillons de la maison. C'est un geste d'homme et d'aîné. Le carillon de Condat toni-true ; on l'a toujours appelé comme ça parce qu'il vient de la succession d'un grand-oncle maternel, notaire dans ce gros bourg, chef-lieu de canton niché à la confluence de la Rhue, du Bonjon et de la Santoire. Paul aime ses rivières, il les connaît par cœur et par corps, la Santoire surtout, qui porte le nom de sa lignée mater-nelle, à moins que ça ne soit l'inverse, une vraie rivière à truites, têtue alerte drue charnue. Un frisson le parcourt entre les draps lourds et frais ; la pêche, la chasse, il en a toujours eu le goût forcené, à l'égal de celui des femmes. D'ailleurs, il l'a senti très tôt, c'est la même chose, le même jeu, semblable traque et semblable ivresse. Le carillon tire sa seconde salve, rauque et cristal-line à la fois. Paul revoit son père, vif et précis, leur montrant les bons gestes, à Georges et à lui, avec les chiens, avec le gibier, à poil et à plume, et aussi avec les luisantes créatures des eaux. Sur ce point seulement, Georges, plus patient et non moins déterminé, eût été de taille à dépasser son aîné, mais le pli de préséance était pris et Paul ne se savait pas meilleur compagnon de chasse et de pêche que son frère. Depuis le mariage avec la somptueuse Madeleine, les deux frères avaient leurs entrées sur le domaine familial, en

Sologne. On s'y régalait, à quelques heures de Paris ; c'était un autre monde que le haut pays qui ne connaissait pas ces luxueux raffinements cynégétiques. Hélas, Madeleine chassait aussi, quand les maternités ne la bridaient pas ; elle était hardie de corps et avait un excellent coup de fusil, qui avait ébloui le père, par ailleurs abasourdi devant tant de féminine munificence. Paul se retourne dans le lit chaud ; il ne sait pas ce que sa mère et sa tante pensent au juste de Madeleine. Georges l'a choisie, elle est la mère de ses enfants et c'est sans appel. Les sœurs Santoire savent se tenir, elles n'auront pas un mot plus haut que l'autre et chériront plus que tout les enfants merveilleux qui sont l'avenir de la maisonnée. La grande chambre de l'étage, déjà, a été réaménagée, rafraîchie et réinventée pour accueillir les nourrissons au mois d'août. Son père n'a rien objecté, laissant faire les femmes dans cette partie ancienne de la maison ; il n'avait d'ailleurs manifesté que très peu d'enthousiasme à l'endroit de Pauline, la première née ; il attendait un rejeton mâle, qu'il ne connaîtrait pas. Il allait avoir soixante-dix ans. On ne le savait pas malade du cœur et personne n'avait jamais eu cette faiblesse dans sa famille où les vieillards intraitables étaient légion. Paul se souvenait des trois frères du grand-père, vieux garçons secs et véloces qui, à plus de quatre-vingts ans, chassaient encore dans les bois de Savignat et sur le plateau des Manicaudies, où ils étaient tous restés embusqués dans de minuscules fermes perdues au milieu de rien qu'ils chérissaient comme des principautés parfaites. Cette solide tradition du célibat mâle justifiait en partie son propre statut d'électron libre, qui, cependant, contrariait sa mère. Elle le laissait entendre par ses inquiétudes répétées au sujet de son ménage d'homme, de sa nourriture, de l'entretien de son linge et de son logement ; un célibataire n'était pas soigné, pas bichonné ; il se laissait forcément aller à toutes sortes d'excès préjudiciables à sa santé. Paul Lachalme sourit sous la couverture de piqué et l'édredon pansu. Sa mère n'imagine pas sa vie et devine à peine sa passion des femmes. Par égard pour elle, il modère ses ardeurs pendant les trois semaines de ses séjours estivaux, se bornant à renouer furtivement, et pour l'hygiène, avec une connaissance ancienne, accommodante et légère, quoiqu'un peu défraîchie, qui vit à Nice mais passe le mois d'août dans une propriété de famille au Vaysset de Condat. Le Vaysset, un joli coin, mais un vilain nom, court, sommaire et mal sonnant ;

Santoire, c'était autre chose, ça vous avait une allure définitive, pour les rivières et pour les gens. Chanterelle, Santoire, la chambre d'enfance où l'on avait, l'année de ses vingt ans, remplacé son lit étroit d'adolescent par une couche vainement conjugale, et les bois, et les prés, et les départs pour la chasse dans les petits matins nacrés, et les heures longues vouées aux pêches opiniâtres, et le moindre tournant de la route pentue qui serpentait sous le couvert des hêtres dans une lumière de cathédrale, tout lui tenait au corps, sans nostalgie aucune, dans la joie brutale de l'appartenance. Il appartenait et ça lui appartenait. Ce don qu'il avait toujours eu de se sentir partout à sa place, légitime et désiré, venait de là, de Chanterelle, du nom, de la mère, de la maison, des terres, de l'air cru. À Venise, au Royal Danieli même, où il avait brièvement séjourné à l'automne dernier avec une femme très belle encore un peu au-dessus de ses moyens, il avait pensé à sa chambre de Chanterelle, aux draps brodés lavés repassés, apprêtés par sa mère et par sa tante. Il y avait pensé dans sa peau, c'était son secret et ça le resterait. On le savait Auvergnat, du Cantal, et de famille paysanne ; mais on n'en saurait pas davantage. Le mystère rehaussait l'éclat ; il tenait à cette formule et y

89

pensait souvent au sujet des femmes conquises, éventées, évidées. Le sommeil ne venait pas. Dans quelques heures, il se lèverait ; il trouverait Georges dans la cuisine, devant un bol de café fort et de larges tartines que leur mère ne pourrait pas s'empêcher de beurrer. Ils resteraient, les trois, autour de la table, et la place du père serait vide. Georges faisait besoin à Orléans, il dirait que la vie devait l'emporter sur la mort, il repartirait dans la nuit, sous les étoiles pointues, nanti de brioches chaudes et d'une couverture blanche merveilleusement ourdie pour l'enfant imminent. Au cimetière, Georges lui avait soufflé, après le défilé des condoléances, que si c'était un garçon, on l'appellerait Armand. Madeleine, dont le frère aîné, tué aux Éparges, portait aussi ce prénom, était d'accord. Madeleine par-ci, Madeleine par-là, oublier Madeleine. Georges n'avait pas peur de ce prénom et il avait peut-être raison ; il ne pouvait pas se souvenir, lui, d'Armand. Paul se souvenait sans le vouloir, ça remontait, ça le surmontait ; la prière du soir dans la grande chambre de l'étage, leurs deux lits à barreaux de part et d'autre du tapis bleu sur lequel la mère à genoux disait le Notre Père et le Je vous salue Marie, Armand à gauche, lui à droite, le chuchotis des prières mêlées comme une chanson de rivière verte sur un lit de cailloux. Remontent aussi, qu'il voudrait oublier dans le sommeil, un cri jeté dans le matin, les feulements de bête écorchée du frère longuement mort et les yeux fous de la servante fautive.

Mercredi 20 janvier 1960

Hélène tricote pour Antoine. Chaussons et bonnets, c'est son rayon, on le sait dans la famille et elle est attendue. Elle a toujours pressenti que l'enfant de Juliette et d'André serait un garçon. On appelle ça les intuitions d'Hélène et elles ont valeur d'oracle. Léon et elle ont déjà sept petites-filles qui grandissent entre Saint-Céré, Cahors et Bergerac. On les voit souvent, elles vont, viennent, restent, repartent, par grappes vives de deux, trois ou quatre ; c'est la manade des cousines, le mot est de Léon qui se pique de tauromachie. Hélène éteint la radio, elle est seule, Léon pose des étagères à Cahors, chez Claire, dont le mari a des mains de beurre et ne planterait pas un clou sans se faire mal ; l'aînée de Claire dévore les livres, jour et nuit, elle a seize ans à peine et la tête très bien faite, à l'école elle est en avance d'une année, elle veut tout comprendre, tout apprendre, et l'on parle pour elle d'un grand lycée à Paris, de concours très difficiles. Les parents sont fiers, les grands-parents aussi, mais Hélène trouve sa petite-fille bien jeune pour partir à Paris dans un internat où elle oubliera de manger et de dormir pour lire et travailler encore et toujours. Hélène aime le tricot qui occupe les mains et laisse galoper la pensée. Le silence de la maison l'enveloppe, elle est rarement seule et ces moments lui sont précieux. Léon parle beaucoup, fait du bruit, monte le son de la radio parce qu'il devient dur d'oreille. Elle n'imagine pas sa vie sans Léon et les enfants, la famille remplit tout son horizon mais elle sait que l'on peut vivre autrement. Gabrielle a vécu autrement, elle continue, et le ciel ne lui est pas tombé sur la tête. Le clique-tis des aiguilles et les battements de l'horloge se répondent. C'est un jour bleu de janvier ; la lumière d'hiver est parfaite pour les travaux de dame. Elle entend la voix de sa belle-mère qui avait eu soin de lui apprendre la couture, le tricot, le crochet et divers points de broderie. Sa mère n'aurait pas su lui montrer, n'en aurait eu ni le goût ni le temps. Les parents ne s'étaient jamais habitués aux façons de Gabrielle ; ils ruminaient, ils grognaient dans les coins, mais ils n'osaient pas, même la mère qui ne manquait pourtant pas d'allant, affronter ce grand cheval. Hélène se souvient qu'ils parlaient d'elle en disant ce grand cheval ; ils étaient dépassés, découragés, humiliés, et en colère aussi, d'une colère rentrée, de celles qui durent et qui rongent. Le tranchant de Gabrielle, ces manières de pouliche rétive qu'elle avait eues dès l'enfance les laissaient sans voix. Ils avaient peut-être été fiers qu'elle veuille apprendre un métier et devenir infirmière. On devinait que le mariage, les enfants, une vie régulière et rangée à Figeac ou à Saint-Céré ne seraient pas pour elle ; mais de là à accepter et endurer son maquillage, ses tenues, ses allures libres avec les hommes, il y avait un abîme à franchir. On s'était résigné, on avait avalé les bruits, les racontars, les regards en coin. Aurillac n'était pas si loin, et Gabrielle y faisait plus ou moins parler d'elle, à petit feu et à bas bruit. Hélène se souvenait de mines contrites et de conversations interrompues à son arrivée. On voulait la ménager, la protéger de toute contamination, comme si les fâcheuses habitudes de sa sœur aînée eussent été contagieuses. Hélène sourit, tout cela est loin, les aiguilles cliquettent, elle plisse les yeux et fronce le nez, il faut boucler le chausson et s'appliquer un instant pour que ce soit parfait. André et Juliette sont ses enfants, et Antoine son premier petit-fils, qui restera seul, qui a mis dix ans à venir. Il y a eu des complications, des attentes, des déceptions, mais ça n'a pas tourné au drame parce que Juliette et André ont le goût du bonheur, de la joie, des choses vives et douces qui font du bien. Ils sont doués pour ça et Hélène n'est pas loin de penser que c'est une victoire. Léon, elle, leurs trois filles, ont su conjurer le sort ; elle déroule ses formules, le sort, la victoire, qui lui semblent justes. André était mal parti, sans père, un accident ; c'est le premier mot, et le seul que Gabrielle avait eu, un accident, pour décrire sa situation quand elle avait débarqué en août 1923 à la gare de Figeac, enceinte de plus de trois mois et apparemment très à l'aise. Les trois semaines rituelles avaient coulé, jour après jour, dans un silence de moins en moins embarrassé ; on ne posait pas de questions après que Gabrielle eut déclaré, dès le premier soir, à table avec eux et les filles dans la cuisine ouverte sur le verger, je garde cet enfant, il ne connaîtra pas son père, il portera mon nom, Léoty c'est un beau nom, il naîtra à Paris, et je vous demande à vous, à toi Hélène, à toi Léon, et à vous les filles, de l'accueillir ici chez vous et de l'élever en attendant que je puisse m'en occuper moi-même dans les meilleures conditions, si vous êtes d'accord, il sera le fils et le petit frère que vous n'avez pas eu, et une pension arrivera chaque mois. Son regard gris ne cillait pas, sa voix n'avait pas molli, la cause de l'enfant à venir semblait entendue. Seule avec elle et Léon, le soir même, une fois les filles couchées, Gabrielle avait brandi cette carte du fils ; elle avait répété, dans la nuit tiède du jardin, c'est un accident mais ça vous fera un fils, et un frère pour mes nièces. On avait laissé passer deux jours avant d'en reparler, un soir d'orage, dans l'odeur riche d'une pluie d'été qui remonte à la mémoire d'Hélène et la surprend, trente-sept ans plus tard, les deux mains arrondies en coque autour de la paire de chaussons jaune pâle, beurre frais, elle pense beurre frais, posés sur ses genoux. Elle se souvient par odeurs, les parfums parisiens de Gabrielle, le souffle endormi de chacune des trois filles, et celui d'André ensuite, quand on se penche sur le lit, le soir, dans la chambre quiète, avant d'aller se coucher, les premières fraises de saison au marché du mardi, la mousse à raser de Léon. Son répertoire est sans fin, elle le dévide parfois, comme pour rassembler sa vie, entre deux fables de La Fontaine, dont elle a perdu peu à peu le goût parce que c'est beaucoup moins amusant à réciter seule qu'avec André. En août 1923, l'orage avait claqué dans le soir lourd après une journée cuisante, les filles ouvraient de grands yeux ; Léon se taisait, Hélène devinait son insondable stupeur. Des questions avaient fusé, on va lui faire une chambre, il s'appellera comment, il restera longtemps avec nous, il ira à l'école ici, il saura qui est sa mère. Elle avait endigué le flot, avec Gabrielle, avant de rester sans voix quand Claire avait demandé à Gabrielle comment elle savait que ce serait un garçon.

Hélène était montée à Paris pour la naissance, avait entouré sa sœur et secondé la sagefemme, une connaissance de Gabrielle, dont les manières viriles et le langage fleuri inspiraient une confiance totale. Gabrielle semblait faite pour mettre des enfants au monde ; elle avait accouché sans embarras notoires, en dépit de ses trente-sept ans, considérant la créature d'un œil dubitatif, annonçant le prénom choisi, André, et trouvant aussitôt les bons gestes pour s'occuper d'un nourrisson qu'elle laisserait partir vers le Lot, dans les bras de sa tante, moins de trois semaines après sa naissance, sans atermoiements tangibles. À Figeac, tout était prêt ; à l'étage des chambres des filles, Léon avait fait le vide dans une petite pièce qui servait plus ou moins de débarras. On avait gratté et lessivé le parquet, repeint les murs en blanc, ressuscité le berceau familial et repêché au grenier un lit à barreaux, la chaise haute, une commode légère. Rideaux au crochet, literie, petits vêtements, la maison ne manquait pas de ressources. Hélène et la mémé avaient lavé, rafraîchi, repassé tout un trousseau. On attendait un poupon vivant, ce serait sérieux, pour de vrai ; il ne faudrait pas le laisser tomber, il pleurerait peut-être la nuit, on lui donnerait le biberon à tour de rôle. Hélène malaxait sans y penser les chaussons jaunes d'Antoine et se laissait traverser par une émotion violente, intacte, qui la secouait tout entière, comme en février 1924, très exactement le 8, un vendredi, au moment précis où elle avait débarqué sur le quai de la gare de Figeac. Léon n'avait pas résisté une seconde, l'arrivée d'André avait été un triomphe, une joie inépuisable. Très vite, à l'exception du pépé qui restait songeur devant cette gaillardise incongrue mitonnée à Paris, tous se demanderaient sans se l'avouer comment on avait pu jusqu'alors vivre sans André, ses premiers sourires, son appétit sans faille, son babillage, ses rires, son élan, sa vitalité tendre et sa douceur. Il avait été dans la maison comme une chanson vive, en dépit des ragots et de ce trou que creusait dans sa vie l'absence d'un père. Cette année-là, Gabrielle était redescendue à Pâques ; parfaitement pimpante, elle avait expédié quelques biberons protocolaires, complimenté d'abondance ses trois nièces sur leur virtuosité dans l'exercice du changement des couches, qu'elle jugeait ingrat, et témoigné à tous sa parfaite satisfaction de voir cet enfant si amène, qui était son œuvre, occuper dans la maisonnée une place manifestement taillée pour lui. Personne ne s'était offusqué de rien ; le pépé avait bougonné dans son coin, sans savoir encore qu'il finirait lui aussi par s'enticher de ce petit-fils buissonnier auquel il aurait le temps, avant de mourir, d'enseigner les secrets savants de la pêche à la mouche sur les rives du Lot. La vie avait continué, avec André, mais Hélène savait que, depuis plus de trente ans, quelque chose mordait au cœur ce garçon, cet homme, qui était son fils, et celui de Gabrielle. André aimait Léon, mais il ne l'avait pas mis à la place du père qui était restée vide, vacante, et vertigineuse, en dépit de la présence de Léon et aussi du lien puissant que les années de maquis avaient noué entre André et Pierre, son chef de groupe. Pierre s'était tué à moto, le 14 juillet

1956, et la perte avait été rude pour André. Hélène, avec des gestes doux et précis, range dans une boîte rectangulaire tapissée de papier de soie bleu les trois paires de chaussons et les deux bonnets destinés à Antoine. Elle s'est levée, a quitté la fenêtre où sourd le crépuscule hâtif de janvier. Les jours rallongeaient, cependant, c'était déjà net, même si les platanes du portail seraient longtemps encore nus contre le ciel. Ils avaient été les témoins de toute sa vie ; elle revoyait les filles et André, nichés dans leur ombre vivace, affairés, enfoncés dans leurs jeux ou lancés dans de mystérieux conciliabules d'enfants. Elle avait soixante-douze ans et se sentait vaillante ; Léon approchait les soixante-quatorze mais ne marquait pas du tout son âge. Antoine babillerait aussi sous les platanes, il y ferait peut-être ses premiers pas. Juliette et André le leur laisseraient à garder ; dix ans de mariage avaient glissé sur eux, c'était un couple ardent, Hélène en était certaine ; des signes ne trompaient pas, certains gestes légers mais sûrs, émouvants. Elle n'en aurait pas dit autant des ménages, ce mot ne lui venait d'ailleurs pas pour André et Juliette, des ménages de ses filles, plus sages, plus rassis, et peut-être plus menacés, du moins pour sa fille aînée qu'elle sentait inquiète et douloureuse. À la fin de la semaine, André et Juliette seraient là, dans la maison qu'ils empliraient de leur allant. Hélène ferme la boîte, cherche dans le premier tiroir de la commode, le tiroir aux cadeaux, un ruban vert qu'elle noue avec soin. Elle avait évité le rose et le bleu, s'était cantonnée dans les jaunes, les verts et le providentiel blanc, mais elle était tranquille et avait eu raison de l'être. Un garçon était arrivé. Une génération plus tard, Antoine serait à la manade des cousines ce qu'André avait été aux filles, un poupon vivant, un prince délicieux, un fruit à croquer.

Samedi 21 avril 1962

Juliette et André trouvent que le boulevard Arago est élégant ; Juliette ajoute que c'est coquet ; elle le dit, le répète à André qui ne répond rien, se campe sous les marronniers, la regarde d'un œil dubitatif et lui demande comment un mur en meulières marronnasses pourrait être coquet. Juliette rit et ne lâche pas ; la prison de la Santé n'est pas tout le boulevard Arago, ton père n'y habite pas mais il a peut-être certains de ses clients sous la main, avec une adresse pareille, c'est commode, et Maître Lachalme est un homme avisé. André se rend et sourit. Au 34, en effet, l'immeuble a de l'allure ; pierre de taille, aux fenêtres et aux balcons garde-corps et balustrade en fer forgé ; on voit que c'est cossu, et entretenu. La plaque de Maître Paul Lachalme et la poignée de la porte d'entrée à double battant luisent dans le soir d'avril gris et doux. Juliette et André sont arrivés à Paris la veille, un vendredi, et y resteront jusqu'au lundi. Ils ont préféré monter en voiture, ont déposé Antoine à Figeac en passant, le reprendront au retour, et alors, seulement, raconteront peut-être à Hélène et Léon ce qu'ils sont vraiment venus faire à Paris, ce qu'ils ont vu boulevard Arago, au 34, ce qu'ils ont vu, ou qui ils ont vu, s'ils voient quelqu'un. Ils remontent le boulevard du côté des numéros impairs, jusqu'à la place Denfert-Rochereau. Le crépuscule est mauve, les bourgeons de certains marronniers éclatent déjà, et leur vert acidulé, presque surnaturel, troue la pénombre. André et Juliette flottent dans le soir et se laissent bercer par le bruissement continu de la ville, son flux et son reflux, la circulation sur le boulevard, les bus et les voitures lancés sur la place, toute une chorégraphie ordinaire dont les règles ne leur semblent pas relever de la même logique qu'à Toulouse, où ils habitent loin du centre-ville. Le 1er janvier précédent, alors qu'ils émergeaient, un peu cotonneux, d'une fête joyeuse inventée avec des amis et la famille proche, André avait dit, en regardant Juliette aux yeux, cette année je le cherche je le trouve je veux le voir on monte trois jours à Paris à Pâques tu viens avec moi je n'y vais pas sans toi. Il avait repris son souffle et s'était adossé au frigo pour boire un grand verre d'eau comme il le faisait souvent quand ils parlaient dans la cuisine, les deux. Juliette avait posé la cafetière sur la table. Elle attendait ça depuis longtemps, depuis le soir de leur mariage, douze ans plus tôt. Elle n'en voulait pas à Gabrielle d'avoir choisi ce moment pour tout lâcher et lui déposer le paquet dans les bras, à elle qui commençait sa vie avec André, savait de quoi il retournait, mais eût parfaitement pu s'effarer de ce gouffre ouvert sous leurs pieds. Juliette ne comprenait rien à Gabrielle et avait l'heureuse faculté de ne pas s'en soucier. Il se trouvait que cette femme singulière et cadenassée avait porté André dans son ventre ; on peinait à le croire quand on le voyait avec Hélène, Léon, et les cousines. Cette femme lui avait donné un nom, Léoty, son prénom, ses boucles douces et brunes, son port de tête sans doute, et c'était à peu près tout. On n'irait pas au-delà dans l'inventaire. À cause du gouffre. Depuis le premier soir, celui des Noces, entre eux ils appelaient ça la chose, ou le trou du père, ou le gouffre de Padirac ; et ils ne l'oubliaient pas. Ils vivaient avec ces silences et ce fantôme de père nanti d'une identité, d'un âge, d'une profession, d'une adresse à Paris et d'une propriété de famille dans le Cantal. Ce fantôme répertorié menait une existence intermittente dans les replis de leurs consciences ; avant la naissance d'Antoine, ils en parlaient rarement et c'était sans conséquence. Gabrielle, qu'ils croisaient trois ou quatre fois par an à Figeac, n'avait jamais repris le cours éruptif de sa confidence nuptiale. Ils ne lui posaient pas de questions et elle ne cherchait pas à savoir s'ils avaient déjà tenté de remonter la piste du père et de le débusquer, à Paris ou sur ses terres hautes. Quand elle avait été avertie de la naissance à venir, elle avait seulement dit à André, ça va changer des choses pour toi du côté de ton père tu verras. André n'avait pas relevé, mais il sentait, et Juliette avec lui, que Gabrielle ne se trompait pas ; il faudrait faire face au fantôme, se tenir un jour devant lui, oser, monter à l'assaut, crever le vieil abcès qui ne faisait pas mal, pas encore, mais ne se viderait pas seul. Un peu plus de deux années avaient passé, André aurait bientôt quarante ans. Sa place d'homme était faite auprès de Juliette et d'Antoine, il aimait son métier qu'il n'avait pourtant pas choisi, il prenait de l'étoffe et des responsabilités, se dépliait, mais quelque chose, plus que quelqu'un, faisait défaut en coulisses, creusait un vide plus qu'un gouffre ; gouffre était trop abrupt, même si, à l'approche de la quarantaine et depuis qu'Antoine était là, André sentait que, loin de se combler avec l'âge, comme il voulait à toutes forces le croire quand il avait vingt ou trente ans, la faille allait s'élargir et se creuser ; le ver était dans le fruit. Il n'avait pas oublié les ratons laveurs de l'enfance et la main de fer qui lui broyait la poitrine certains soirs en dépit d'Hélène et des douceurs vivaces cultivées sous les platanes de Figeac. On irait donc à Paris, à Pâques, humer les traces du père. On avait vérifié dans les annuaires qui avaient confirmé les adresses et livré des numéros de téléphone à Paris et dans le Cantal. De Figeac à Chanterelle, quelques heures de voiture auraient suffi, on aurait vu, on aurait su, vu et su quoi ; mieux valait commencer par Paris ; Chanterelle était trop à nu, trop frontal ; on ne passerait pas inaperçu à Chanterelle tandis qu'à Paris, il serait facile de rester anonymes et de se glisser incognito dans les coulisses de la vie de Paul Lachalme.

Ils n'avertiraient pas Gabrielle, ils ne la verraient pas ; préparant leur équipée pascale, ils constataient qu'ils ne savaient à peu près rien de la vie parisienne de Gabrielle et n'en voulaient rien savoir. Hélène, consultée au début de janvier, avoua tout ignorer de l'état des relations éventuelles de sa sœur avec le père d'André. Elle supposait que le lien, elle employait aussi le mot liaison, avait été rompu avant même la naissance d'André, mais elle n'en était pas certaine. Le premier dimanche de janvier 1962, dans la cuisine de Figeac, pendant la sieste d'Antoine, et celle de Léon, assoupi dans son fauteuil à la salle à manger, Hélène leur avait raconté l'épisode de l'entrée en sixième qu'André ignorait encore. En 1935 André avait onze ans et montrait de solides dispositions pour l'étude ; Gabrielle avait alors manifesté la ferme intention de le reprendre avec elle à Paris et de l'inscrire dans un établissement privé très prestigieux, auquel elle pouvait avoir accès par relations, l'école Alsacienne, Hélène s'en souvenait parfaitement. On le lui proposait, elle en était flattée, elle hésitait, il fallait prendre une décision, c'était sérieux, l'avenir d'André en dépendait. Pour la première fois Hélène avait vu sa sœur se troubler, tergiverser et s'était enhardie à demander si le père d'André était à l'origine de cette démarche. À la réponse fuyante, évasive de Gabrielle, elle avait compris que cette piste n'était sans doute pas la bonne. On était fin avril, donc, en 1935, et Gabrielle avait débarqué pour trois jours, quasiment au débotté et au rebours de ses habitudes, lâchant dès le premier soir, après le repas, une fois les filles et André couchés, qu'elle se posait la question de reprendre son fils à Paris, puisqu'il était si doué, si vif, curieux de tout, et sérieux ; elle s'animait, parlait aussi du piano, on y veillerait, s'il n'était pas déjà trop tard. Hélène se taisait, vissée figée noyée de paroles, les mains à plat sur ses cuisses, le dos droit, calé contre le dossier de sa chaise. Léon avait bondi, bousculant les assiettes dans une maison où l'on ne bousculait jamais rien ; il s'agrippait à la table, maîtrisant mal un tremblement de tout le corps. Il avait dit, sans crier, d'une voix hachée et rêche qu'Hélène ne lui connaissait pas, les yeux plantés dans ceux de Gabrielle, assise en face de lui, tu peux pas le reprendre, tu l'as jamais pris, il est comme notre fils, il est heureux ici, il grandit bien, on en fera un homme, laisse-le. La voix d'Hélène s'était perdue sur ces derniers mots et Juliette avait attendu un moment pour poser sur son épaule une main légère. Dans la chambre du bas Antoine s'était réveillé, on l'entendait babiller de l'autre côté de la cloison, André avait dit, je m'en occupe, et il était sorti. Hélène avait repris, je crois que cet homme ne sait pas qu'il a un fils. Juliette avait été soulevée d'une brève bouffée de colère contre Gabrielle, ses secrets, ses méandres, ses afféteries, ses velléités, ses exigences et sa longue tyrannie ; mais la colère n'était pas le chemin de Juliette, et il n'y avait rien à attendre de Gabrielle, aucun recours. On ferait autrement. On se passerait d'elle. Plus tard, au début de mars, ils avaient suivi les conseils de Christian, familier de Paris où sa femme, Suzanne, était née et avait vécu jusqu'à leur mariage ; ils avaient réservé trois nuits dans un hôtel de la rue Gay-Lussac dont l'enseigne leur était apparue, à une lettre près, comme un signe de bel augure. L'Hôtel des Familles, Maison Lachaume, Père et fils, depuis 1924, portait bien son nom ; ils y avaient été accueillis, et enveloppés, par une patronne bienveillante, native de Bretenoux et exilée au nord de la Loire par amour pour Monsieur Lachaume fils, né en 1924, année de la création de l'hôtel, et prénommé Paul. Ahuris de coïncidences, Juliette et André avaient été sur le point de tout raconter à leur hôtesse, et s'étaient ravisés, avant de prendre d'un pas plus léger, dès le samedi matin, le chemin du boulevard Arago. Il leur fallait approcher les lieux, explorer la piste, flairer les traces. La discrète mention RDC, en bas et à gauche de la plaque de Maître Paul

Lachalme, les avait renseignés. Sans se concerter, ils s'étaient assis sur un banc providentiel, de l'autre côté du boulevard, exactement en face du numéro 34, et ils avaient attendu plus d'une heure, sans parler, calmes et émus, un peu hors d'eux-mêmes, épaule contre épaule. Vers onze heures, un homme de l'âge d'André, ou un peu plus jeune, avait surgi ; il avait allumé une cigarette d'un geste nerveux ; son regard avait balayé le boulevard et leur banc, sans les voir. Ils avaient tressailli et senti que le même frisson les traversait. L'homme avait hésité avant de se raviser et de disparaître dans les entrailles de l'immeuble. Aussitôt après, une femme, boulotte et empressée, était entrée, et ressortie quelques minutes plus tard, flanquée de deux garçonnets courtauds. Le trio était revenu au bout de vingt minutes, les enfants caracolant, la femme encombrée d'un énorme bouquet de roses rouges. André et Juliette n'avaient pas vu la matinée filer et se sentaient étrangement affamés. Christian et Suzanne leur avaient vanté la rue Mouffetard, toute proche. Il ne serait pas dit qu'ils auraient mendié tout un jour l'apparition du père. Après le déjeuner, saucisse et aligot, à l'aveyronnaise, histoire de ne pas se sentir tout à fait dépaysés, ils iraient au Louvre. Paris était loin, et ils s'étaient promis de ne pas sacrifier tout leur temps à Paul Lachalme. *La Joconde* les aurait presque déçus, mais ils furent happés par le tintamarre pharamineux des *Noces de Cana*, et, saouls de couleurs, de corps, de motifs, se présentèrent à nouveau, à dix-huit heures quinze, au 34, boulevard Arago. Le pas était décidé, presque martial, et le lieu quasiment apprivoisé. On prit d'abord une photo d'André, raide et campé, devant l'immeuble. Ensuite on poussa la porte, c'était simple. Aucune concierge ne surgit. À fond à droite, une seconde porte, lourde et luisante, portait la plaque fatidique. André sonna, longuement, deux fois, trois fois. Quelque chose sembla glisser de l'autre côté du panneau verni, un rideau sur une tringle peut-être, ils l'auraient juré, mais il n'arriva rien, rien de plus. La porte ne s'ouvrirait pas. Ils se retrouvèrent sur le boulevard dans le soir tiède et sucré.

Dimanche 28 octobre 1945

Gabrielle se méfie du passé, elle s'en défend ;
à son âge, cinquante-huit, bientôt cinquante-
neuf ans, une femme a tout à craindre de son
passé, les regrets, les remords, la nostalgie, le
goût de fer froid des occasions manquées et la
marée montante des illusions perdues. Gabrielle
se redresse contre le dossier rond de son fauteuil
vert ; l'automne ne lui vaut rien, c'est une saison flasque, sentimentale et chagrine qu'elle n'a
jamais aimée. Même si la guerre est finie, relents
et miasmes saturent l'air et la paix ne sent pas
bon. La première moitié de la décennie quarante a été interminable, et rugueuse ; un tunnel.
Gabrielle a fait comme tout le monde et comme
elle a pu. Elle s'est faufilée dans l'ordinaire gris
des jours, Hélène a envoyé des colis réguliers et
copieux qui lui ont permis de tenir et, à aucun
moment, sauf en juin 40, elle n'a été tentée de se
replier longuement à Figeac pour laisser passer

l'orage à l'abri du cocon familial. Elle sait, elle l'a vu, elle l'a compris, que son fils est désormais un héros, un héros de vingt-et-un ans. Elle tourne et retourne le mot, le contourne, l'envisage et le déguste. Résistant, respecté, reconnu, courageux, solide, fiable, loyal. Elle s'arrange avec cette litanie glorieuse, elle pourrait être fière, elle l'est sans doute, mais elle l'est surtout parce qu'André est beau. André est un beau héros. Il tient de son père l'allure, l'élan du corps, la ligne des épaules et des hanches, quelque chose qui, plus de vingt ans après, émeut encore la femme vieillissante qu'elle est devenue. De la beauté d'André, Gabrielle se sent responsable ; ça la regarde, tandis que le riche cortège de ses vertus héroïques, que l'époque révèle et célèbre, ne la concerne que de très loin. Elle n'y est pour rien, et Paul Lachalme non plus assurément. Gabrielle fume un petit cigare âcre ; c'est son rituel du dimanche soir ; depuis quelques mois seulement, sur le tard, elle s'est autorisé ce plaisir mâle dont elle redoutait jusqu'alors les conséquences réputées fâcheuses pour l'haleine, les dents, la peau. La coque douce de son vieux fauteuil vert l'enveloppe, les volutes de fumée la nimbent, elle pense le fils est un héros, le père se cache. Elle le sait depuis peu, par une ancienne voisine, greffière au Palais, croisée le samedi précédent dans l'autobus. Sentencieuse et bonasse, Germaine, veuve replète et volubile, avait habité le même immeuble qu'elle, rue Victor-Chevreuil, dans le douzième, pendant dix ans, de 1928 à 1938. Gabrielle a une parfaite mémoire des dates, Germaine, veuve depuis août 1927, et sans enfants, avait déménagé trois semaines avant elle, en juillet 1938. Le Palais était sa maison, elle en racontait volontiers les intrigues, son pain quotidien, non sans verve et vivacité et avec une emphase un tantinet précieuse demeurée intacte après le long intermède de la guerre. Gabrielle a le goût du secret ; en dix années de voisinage amical, elle n'avait jamais dit à Germaine qui était pour elle Paul Lachalme, avocat en vue dans les années trente, dont le nom revenait fréquemment dans les copieuses chroniques du Palais partagées chaque semaine par les deux femmes, le samedi ou le dimanche, autour d'un café et d'une cigarette. Germaine trouvait que Gabrielle avait une allure folle et Gabrielle aimait les feuilletons de Germaine. Gabrielle s'enfonce dans son fauteuil qu'effleure le halo jaune d'un lampadaire maigre coiffé d'un considérable abat-jour fleuri. Germaine ne pouvait pas savoir que cette Gabrielle dont elle enviait la liberté et l'éclat guettait dans ses récits d'avant-guerre les échos assourdis d'une longue fête à laquelle elle n'avait pas été conviée. Ces retrouvailles fortuites soulèvent chez Gabrielle une émotion qu'elle n'attendait pas. Germaine n'avait pas changé et semblait depuis plus de quinze ans figée à un âge incertain, proche de la soixantaine, que Gabrielle atteignait désormais, à son corps défendant ; ça se voyait, ça commençait à se voir. Gabrielle avait senti dans le regard gris de Germaine posé sur elle un soupçon de perplexité mâtiné de saisissement. Elle dévissait, elle, Gabrielle. Les années de guerre avaient été âpres et abrasives. Les hommes ne la voyaient plus ; c'était arrivé peu à peu et il n'y aurait pas de rémission. Un second petit cigare s'imposait, et même un gorgeon de cette eau-de-vie de prune qu'elle avait rapportée de Figeac à la fin août. Germaine, donc, n'avait rien dit, mais son œil avait suffi à Gabrielle pour mesurer l'étendue des dégâts. Usée, élimée, rétamée, la conquérante Gabrielle, dont Germaine ne savait à peu près rien, et surtout pas qu'elle cachait dans le Lot un fils né de ses anciennes et ardentes amours avec Paul Lachalme. La greffière éblouie répétait à l'envi que le jeune avocat eût été le gendre idéal ; si elle avait eu une fille, c'est un homme comme lui qu'elle aurait voulu la voir épouser. Gabrielle n'avait pas cherché à démonter les ressorts de cette prédilection matrimoniale d'autant plus incongrue que Paul Lachalme, polygame fondamental et notoire, eût à l'évidence fait un déplorable mari. Pendant plus de dix ans elle avait savouré le hasard discret et stupéfiant qui la dotait d'une voisine de palier fréquentable et instruite de l'existence, des mœurs, coutumes, usages et menus exploits et fantaisies de son amant le plus cuisant, fantôme de première classe et père évanoui d'André, son fils secret.

L'eau-de-vie et le cigare têtu sont de bonne compagnie et Gabrielle retrouve intact le plaisir, oublié depuis 1939, d'avoir une longueur d'avance sur la babillarde Germaine. Une semaine après leur rencontre fortuite dans l'autobus, elles s'étaient revues, la veille, dans un café assoupi du boulevard Voltaire où Germaine avait repris sans se faire prier le cours interrompu de sa gazette. Elle n'avait pas caché que tout n'était pas bon à dire et qu'il fallait savoir fermer les yeux, ou passer l'éponge ; elle dodelinait, se troublait un peu, tournait sa cuillère dans son thé au lait refroidi ; on n'avait pas toujours été à l'aise, loin de là, mais il fallait bien gagner sa vie, quitte à faire le dos rond. Les expressions de Germaine, que Gabrielle ne lui connaissait pas, l'éponge, le dos rond, fermer les yeux, dissimulaient mal une sorte de gêne tiède et poisseuse qui s'était peu à peu dissipée, au fil de la conversation, même si Gabrielle n'était pas certaine de suivre Germaine en tous ses méandres. Elle laissa s'écouler le flot des considérations liées aux circonstances troubles de l'Occupation et de la Libération, que le récit de Germaine semblait mettre sur un strict pied d'égalité. L'attention de Gabrielle flottait et elle attendait le moment de placer une question d'apparence anodine sur les avocats les plus brillants de l'avant-guerre, comment ils avaient tourné, comment ils avaient négocié certains virages périlleux. Germaine la devança ; Gabrielle se souvenait forcément de Paul Lachalme, leur favori du temps de la rue Victor-Chevreuil ; la question n'attendait d'autre réponse qu'un acquiescement hâtif, faussement vague. Paul Lachalme avait fait les mauvais choix, et misé sur de tristes canassons ; il s'était compromis et on ne le voyait plus au Palais depuis le printemps 44 ; il n'avait été ni poursuivi, ni radié, mais on était sans nouvelles ; des bruits avaient couru, couraient, de vagues et tenaces rumeurs. Germaine pinçait les lèvres.

Elle ne comprenait toujours pas comment ni pourquoi un garçon, un homme, elle s'était reprise, un homme de cette trempe pouvait avoir manqué de flair à ce point. Il ne s'était pas plus mal comporté que beaucoup d'autres, mais il n'avait pas senti le vent tourner et s'était obstiné trop longtemps sans assurer ses arrières ; résultat des courses, c'était la formule ultime et catégorique de Germaine, Paul Lachalme tentait de se faire oublier en Sologne, où il aurait de vagues accointances familiales. Gabrielle en savait assez et n'était pas certaine de renouer durablement avec Germaine. Elle aimait sa solitude, n'avait jamais vraiment eu d'amies et ne recherchait pas la compagnie des femmes qu'elle agaçait quand elle ne les inquiétait pas. Germaine s'était toujours montrée d'autant plus débonnaire qu'elle était dépourvue de mari et ne se sentait donc pas menacée sur le front conjugal. Au fond, et Gabrielle, en dépit du cigare et de l'eau-de-vie, ne pouvait que s'incliner devant l'évidence, Paul Lachalme lui était devenu à peu près indifférent, et Germaine ne l'intéressait plus. Elle vieillissait, elle abandonnait. Paul Lachalme vieillirait aussi, et mal ; elle le connaissait assez pour savoir qu'il sortirait de sa retraite solognote, amer et rogue, armé de toute sa mauvaise foi et de son formidable aplomb. Or, les temps avaient changé. La superbe de la jeunesse n'était plus de mise, Paul Lachalme devrait en rabattre, il n'était pas doué pour ça et n'y avait pas été préparé.

Gabrielle se lève, vide le cendrier, le lave avec soin et rince longuement son verre à liqueur. Son petit appartement est nu et douillet à la fois, elle pourrait n'en jamais sortir. Dans ses quarante mètres carrés, rien ne lui résiste, ni ne la déçoit, ni ne la trahit. Elle décide de tout. Chaque chose est à sa place, reste à sa place, le cendrier et le verre du service à liqueur retrouvent la leur. Dans la cuisine jaune, Gabrielle appuie son front contre la vitre froide ; personne dans la rue, les gens sont chez eux, en famille. Gabrielle ne nourrit à cet égard aucun regret ; pas d'autre famille qu'Hélène et Léon, lointains et bienveillants, même si elle sent parfois chez Léon des poussées de méfiance réprobatrice à son endroit, qu'il réprime pour ne pas heurter son Hélène. La compagnie pétillante de ses nièces, quand elles étaient enfants, la distrayait du pesant ennui des séjours lotois mais elle n'a plus rien à dire aux épouses et aux mères affairées qu'elles sont devenues, même si l'aînée et la plus jeune sont infirmières, comme elle le fut dans sa première vie, avant son départ pour Paris. Elle ne comprend plus aujourd'hui pourquoi, à dix-huit ans, elle tenait tellement à exercer ce métier pour lequel elle n'avait aucune disposition. Paris avait été une délivrance ; on ne savait plus qui elle était, on ne la jugeait plus, on ne la jaugeait plus. Par le truchement d'une vague relation aurillacoise, elle avait pu entrer comme secrétaire chez un grossiste en vins et épicerie fine du douzième arrondissement, auprès de qui son sens de l'organisation, sa vivacité, et son esprit méthodique avaient fait merveille. Elle ne déplaisait pas au patron, sorti de Laroquebrou et enclin à prendre sous son aile tous les natifs et natives du Cantal et des départements limitrophes. Elle avait eu de la chance, et si le grand saut vers la Capitale n'était que ça, elle eût été bien inspirée de le faire beaucoup plus tôt. Il lui avait fallu croiser Paul Lachalme à l'infirmerie du lycée de garçons d'Aurillac pour oser franchir le pas. Son seul regret était là et elle préférait ne pas se demander quelle vie elle aurait eue si elle était montée à Paris à dix-huit ou vingt ans. Gabrielle entend des pas dans l'escalier ; ce sont les voisins qui rentrent de Cormeilles-en-Parisis où ils passent tous les dimanches dans la tribu familiale. Ils ont trois enfants, des garçons bruns, joyeux et drus, qui se chamaillent sur le palier. Elle a toujours excellé en relations de voisinage qui n'engagent à rien et restent légères, à condition de garder la bonne distance, comme avec Germaine. Gabrielle sait garder la bonne distance, avec les voisins et avec la famille ; avec les hommes, ce fut une autre affaire, qui se conjugue désormais au passé. L'existence même d'André repose sur une mauvaise appréciation des distances avec les hommes. Elle ne retrouve plus le nom exact de ce défaut de vision dont elle est affligée au point d'avoir dû renoncer à passer le permis. Voilà un autre regret ; elle a toujours envié les hommes sur ce point et elle voit bien que les femmes jeunes s'y mettent aussi, pas seulement en ville, deux de ses trois nièces conduisent déjà. Elle est peut-être née trop tôt. Elle s'ébroue dans le minuscule cabinet de toilette rose et parfumé. Elle a encore un excellent sommeil. Aux oubliettes de la nuit, Germaine, Paul Lachalme, le permis de conduire, les héros de la Résistance et le planqué de Sologne. Demain est un autre jour.

Jeudi 8 novembre 1984

C'est un port de mer, un sacré port de mer. Ce sont les mots de Léon, et sa voix, qui remontent à la mémoire d'André quand ils arrivent enfin à Chanterelle et débarquent sur la place de l'église. Léon aurait dit ça en dépliant posément bras et jambes au sortir de la voiture. Ils ont emmené Hélène avec eux, lui ont proposé une escapade dans le Cantal et l'ont extraite de Figeac que hante la mort de Léon. Elle a toujours aimé circuler, être conduite, commenter les paysages, l'allure des maisons, et ce que l'on devine de la vie des gens. Il n'a manqué à Léon que deux petites années pour faire un magnifique centenaire et Hélène, que l'on ne voit pas mortelle, marche sur ses brisées. Gabrielle et Léon ont eu la même mort, dans la même maison, lui dix années après elle, à deux jours près, 14 et 16 août, 1974 pour elle et 1984 pour lui. Deux morts nettes, sans fioritures. Ils se sont absentés

131

dans leur sommeil, ne se sont pas réveillés un matin. Hélène les a trouvés. Toujours Hélène qui répète que Léon était encore tiède et souple ; elle avait mis du temps à comprendre, il était allongé près d'elle, à sa droite, et il était perdu, très loin, en allé, elle l'avait perdu. Hélène avait eu ces mots, deux jours après l'enterrement, avec Juliette et André qui étaient restés auprès d'elle et ne repartiraient à Toulouse que le dimanche suivant. Elle avait aussi parlé de Gabrielle et de sa mort efficace, sur place, à domicile, sans les complications qu'eût entraînées un décès parisien ; ils avaient souri tous les trois de ce mot, efficace, qu'Hélène avait souligné, répétant, ta mère était comme ça, efficace jusqu'au bout, et tu tiens d'elle. André ne savait pas en quoi il tenait de sa mère et pensait fort peu à elle, morte ou vive, mais il s'était souvent demandé, avec Juliette, comment Hélène et Léon avaient pu, toute leur vie, faire montre de dispositions aussi magnanimes et généreuses à l'endroit d'une femme qui leur avait littéralement fait un quatrième enfant dans le dos. L'expression lui était venue à la cinquantaine et lui avait toujours semblé doublement juste. Il était l'enfant dans le dos d'Hélène et de Léon, le surnuméraire chéri et choyé, et sans doute aussi l'enfant dans le dos de Paul Lachalme qui n'avait pas eu de place pour lui dans sa vie, n'avait pas pu, pas su, pas voulu en avoir. Chanterelle porte étrangement son nom de royaume suranné. Un ciel immense y tournoie dans ce jour doré d'un été indien qui ne veut pas finir. Chanterelle est vide, éperdument bleue, assaillie de lumière. Hélène et Juliette s'avancent vers l'église. André reste quelques minutes adossé au coffre de la voiture. Tant de bleu lui donne le vertige. Le territoire perché du père est là, son père est né et a grandi là ; il comprend soudain combien la mort de Léon a tout changé ; Léon a déserté la place, sa place, et l'a laissé démuni, dégarni au point d'éprouver le besoin de monter enfin jusqu'à Chanterelle dont il connaît l'existence depuis près de quarante ans sans avoir jamais cherché à savoir à quoi ça ressemblait ni d'où sortait Paul Lachalme. Chanterelle fut le fortin du père ; on le comprend tout de suite à la vue de la bâtisse à deux corps qui occupe le côté gauche de la place et fait face à la Mairie, de dimensions plus modestes, flanquée sur la droite d'une pimpante boutique multiservices. L'enseigne *À La Providence, Maison Lachalme et fils*, n'a pas été effacée et demeure très lisible sur la façade du bâtiment le plus orgueilleux, qui est aussi le plus récent. Les trois portières de la voiture ont claqué dans le silence tiède. Il n'est pas encore deux heures et demie. Ils ont déjeuné à Riom-ès-Montagnes, réputée moins assoupie que Condat où Hélène, qui garde bon appétit, craignait de ne pas trouver de quoi se nourrir décemment. André et Juliette ont tout leur temps, ils sont à la retraite depuis le 8 octobre, un mois, jour pour jour ; ils l'ont prise ensemble, Juliette ayant devancé l'appel pour se mettre à l'unisson de son André. À la mi-décembre ils iront rejoindre Antoine qui vit depuis six mois au Canada et parle de s'y établir ; ils y passeront les fêtes, ils visiteront, ils iront aussi à Chicago, à New York et ne rentreront que fin janvier. L'automne sera consacré à Hélène qui a besoin d'eux, même si elle s'applique à faire face et se tient fière. Ils sont bien ensemble, les trois ; ils se comprennent sans se parler et s'accordent en souplesse. Hélène dit qu'ils font bonne équipe. Maintenant il s'agit de prendre le présent à la gorge, sans attendre que l'irrémédiable coupe court à tous les élans. L'équipée cantalienne s'est décidée l'avant-veille ; été indien prolongé au sud de la Loire, et notamment dans tout le Massif Central, martelait avec assurance la dame chevaline de la météo. Juliette avait dit,

134

et si on allait un peu voir par là-haut du côté de Chanterelle. André avait pensé qu'en cette saison l'oiseau ne serait plus au nid, si toutefois il était encore vivant et s'il passait bien les hivers à Paris, comme on pouvait le supposer. Il n'avait en fait jamais supposé grand-chose depuis vingt-deux ans, et l'équipée de Pâques 1962 avait laissé le glacis d'une indifférence maîtrisée se déposer sur les choses et leur donner une forme acceptable. André fait le bilan ; mère lointaine et intermittente, certes, et père fantôme ; mais il avait eu Hélène, Léon, les cousines, la maison et le jardin et toute la rue Bergandine avec ses platanes, et Juliette et Antoine. Il avait fait sa vie d'homme, après les hautes saisons du maquis, dans cette douceur, cette vaillance, cet élan, avec l'appétit d'être qui avait accompagné toute son enfance et ne le quittait pas, pas encore, à plus de soixante ans. Le soir même de la mort de Léon, Juliette et lui avaient retrouvé les mots de leur jeunesse ; ils s'étaient souvenus du gouffre de Padirac et de ce que Gabrielle avait lâché le jour de leur mariage. Gabrielle était morte depuis dix ans ; il y avait prescription pour ses silences, ses grands airs, ses accès de morgue et cette grenade qu'elle avait dégoupillée, en vain, à la table même des noces de son fils. Quelque chose qui relevait de la bienveillance, dont cette tribu semblait détenir le perpétuel apanage, avait étouffé dans l'œuf le pouvoir de nuisance de la Parisienne.

Sans éclat ni carnage, trente-cinq ans plus tard, André, Juliette et Hélène sont à Chanterelle, campés devant une bâtisse dont le crépi défraîchi et les vingt-deux paires de volets lazurées avec soin disent assez l'état de dispendieuse résidence secondaire échue à des héritiers qui peinent un peu à maintenir le patrimoine à flot. On devinait un enclos derrière la maison et on s'y transporta à pas lents sous le soleil caressant. Un rectangle de gazon clos de murs de pierre grise surmontés d'un grillage vert sombre, de facture récente, descendait en pente douce jusqu'au ruisseau qui traversait le bourg ; le Lemmet, affluent de la Santoire, qui se jette dans la Rhue à Condat, annonça Juliette qui avait toujours eu la passion des noms propres et des choses infimes tapies dans les menus recoins des pays oubliés. Le multiservices ouvrait à quinze heures, l'église était fermée mais le cimetière pavoisé de frais aguichait l'œil à flanc de coteau, inondé de soleil roux, presque sémillant ; des noms, des dates, des durées de vie que l'on calculait presque malgré soi, quelques caveaux péremptoires plantés avec aplomb au milieu de tombes quasiment alanguies dans la tiédeur insolente de l'air. Juliette fut la première à s'immobiliser devant un caveau sombre marqueté d'inscriptions dorées qui déroulaient toute la généalogie paternelle d'André ; des Lachalme à foison, et des épouses nées Fourgoux, Santoire ou Combes. Pas de photos, ni de plaques chantournées, seulement des noms, des prénoms, des dates, et deux énormes chrysanthèmes d'un blanc flamboyant que le premier gel dévorerait. André, en jardinier diligent, retint un geste familier qui eût été de tâter la terre des pots pour vérifier si les fleurs avaient besoin d'être arrosées. Son regard croisa celui de Juliette. La voix d'Hélène montait, elle lisait, les prénoms, les noms, les dates. André et Juliette avaient déjà tout embrassé du regard. Paul Lachalme n'avait que quatre-vingt-un ans, il pouvait n'être pas mort, et, s'il l'était, n'avoir pas été enterré à Chanterelle. Hélène calculait, à voix haute, André ne disait rien ; Georges Lachalme, 1905-1983, un frère probablement ; et le plus récemment enfourné dans le caveau ; Hélène détestait les caveaux, leur bouche noire béante, leur orgueil vertical, et ce qu'elle y sup- posait de suintements gras, d'écoulements têtus et stagnants. Lucie Lachalme, née Santoire,

1883-1960, la mère des garçons sans doute, et Marguerite Santoire, 1886-1963, une sœur de la mère demeurée célibataire et rattachée à la maison Lachalme, les deux sœurs Santoire avalées par le même caveau Lachalme, à Chanterelle. Hélène lit aussi le nom du père, Guillaume Lachalme, 1865-1935. Armand Lachalme, 2 août 1903-28 avril 1908, un frère, et forcément un jumeau, un troisième garçon et une dynastie écornée. Pour l'enfant les dates sont précisées ; elles disent la joie d'un été du début du siècle, deux fils premiers nés, un homme de trente-huit ans soucieux de perpétuer la lignée, une jeune femme de vingt ans et sa sœur de dix-sept ans affairées autour des nourrissons ; Juliette imagine aussi le gouffre du printemps 1908, le foudroiement, elle pense à une maladie infantile qui aurait emporté le moins vigoureux des jumeaux. Toutes les familles abritent dans leurs replis les plus intimes ces petits morts qui étaient le lot des temps, une sorte de tribut de chair fraîche et tendre payé aux dieux Lares des descendances pléthoriques. Trois heures sonnent au clocher de l'église, l'air est bleu, ils sont seuls dans ce cimetière débonnaire et Juliette, qui a le goût de ce qu'elle appelle ses romans funéraires, sent que l'on ne peut pas en rester là, qu'il faut rentrer dans le réel, ici et maintenant. Elle suggère un tour au multiservices qui aura ouvert ; elle excelle dans l'art de délier les langues sans jamais avoir l'air d'insister, de fouiller, de fouiner. La boutique est lumineuse ; une jeune femme un peu timide s'affaire dans les rayons ; oui, on peut boire quelque chose, il suffit de passer dans la pièce attenante, l'unique café du village, dont la devanture s'ouvre sur une courte rue noyée de soleil. La jeune femme s'enhardit ; c'est calme, elle suffit à tenir le magasin les après-midi, même avec le café, le point-poste et le relais bancaire, elle vend aussi du pain, de la viande et des plats cuisinés sous-vide, des ampoules, des éponges, des allumettes ; il faut avoir de tout pour garder la clientèle des esseulés du bourg qui ne conduisent pas, ou plus, et dépendent entièrement du *Shopi*. La jeune femme est brune et pâle ; elle dit le *Shopi* et on comprend qu'elle se démène et tient à son affaire ; c'est fragile, ils ont démarré en mai, la commune a soutenu pour aménager le local et équiper le fourgon, son mari fait des tournées jusque dans le Puy-de-Dôme, du côté de Mongreleix, d'Espinchal et de La Godivelle, ou même plus loin ; ils voudraient tenir, ils sont nés dans la commune, tous les deux ; ils sont un peu partis ailleurs, à Clermont, à Saint-Étienne, mais leur vie est là. Juliette écoute, opine ; Hélène aussi. Juliette brode, Chanterelle est un si beau nom, ça ne s'oublie pas. Hélène y va de son pieux mensonge, mon mari, qui vient de mourir, avait eu à Aurillac au lycée un camarade qui sortait de Chanterelle, il s'appelait Paul, Paul Lachalme. On est passé au cimetière, on a trouvé le caveau de la famille, précise Juliette, ça vous dit quelque chose Paul Lachalme, à vous qui êtes du pays, même si vous êtes trop jeune évidemment. La jeune femme s'anime, désigne les deux bâtiments de l'autre côté de la place, explique, une grosse famille d'ici, ils viennent souvent, ils sont repartis le 30 ou le 31 octobre, ils ont fermé la maison, ils restent longtemps, tout l'été, les deux mois, et ouvrent aussi à Pâques et à la Toussaint. Ils sont très attachés au pays et prennent au magasin tout leur pain, de la pâtisserie, des charcuteries, du chou farci. Elle se ravise, le prénom Paul ne lui dit rien, ça doit être celui que les gens appellent l'avocat, le frère du docteur qui, lui, a été enterré l'hiver dernier, un jour de grosse neige, l'avocat vit à Paris, il vient beaucoup et sort peu dans le bourg, il va surtout à la pêche, elle connaît mieux les jeunes, qui ont à peine la quarantaine et font toutes les courses ; mais sa grand-mère Suzanne a travaillé toute sa vie chez les grands-parents qui sont morts depuis très longtemps, elle habite juste là, derrière l'église, elle a quatre-vingt-dix ans et a gardé sa tête, surtout pour les choses anciennes, elle saurait leur dire, pour Paul Lachalme et pour le reste de la famille. La jeune femme prend une mine désolée, sa grand-mère se ferait un plaisir, mais elle n'est pas là, elle est à Aurillac jusqu'au lendemain pour la cataracte, on l'opère malgré son âge, elle ne pouvait plus attendre, elle était trop gênée. Le lundi suivant, à Toulouse, avant de se coucher, André montrera à Juliette une fiche cartonnée glissée dans son portefeuille ; il a tout noté, noms et prénoms, dates de naissance et de mort ; et aussi cette épitaphe relevée sur une autre tombe du cimetière de Chanterelle, la première à droite tout de suite en entrant, À mon père, La mort nous délivre du secret, Ton fils.

Lundi 19 août 1974

André a dix ans pour toujours sous les platanes de la rue Bergandine. André n'a plus dix ans depuis quarante ans mais la touffeur impeccable, l'écorce tavelée des troncs, l'heure même, le creux de l'après-midi, la date, tout le ramène à cette troisième semaine d'août et au train de l'après-midi, on disait le train de quatre heures, qui le délivrait de Gabrielle et le rendait à la légèreté d'être, aux jeux, à l'été des choses. Son corps d'homme regimbe mais l'enfance résiste et la douleur a les dents longues. Il pense au raton laveur, il n'a rien oublié, il a seulement vécu. Quelque chose recommence, le film bégaie, hoquète. Il a déjà éprouvé une fois ou deux cette sensation vertigineuse de remettre ses pas dans des traces anciennes, mais jamais avec autant de netteté. Hélène, Léon et le trio des cousines sont là, dans la pénombre de la maison restée fraîche. Les cousines sont venues seules, en filles, comme elles disent joliment ; Gabrielle ne faisait pas l'unanimité dans la parentèle élargie. André se dit qu'il faut sans doute être du sang pour comprendre et accepter cette dévotion sourde et indéfectible qu'Hélène et les siens ont toujours nourrie à l'endroit de la Parisienne, qui apparaissait, disparaissait, n'élevait pas son fils, faisait mystère de tout, et riait pointu avec ses trois nièces sous la tonnelle de glycine au fond du jardin les soirs d'été. André rumine. Le sang n'est rien. Léon est son père choisi, élu ; on dit qu'ils ont, les deux, la même voix et de semblables intonations au point qu'au téléphone les cousines s'y trompent parfois et les confondent. Les yeux gris-vert d'André, ses yeux d'océan, Juliette avait lu ça dans un roman au début de leur mariage et l'expression était restée entre eux comme une caresse, ses yeux d'océan sont ceux de Gabrielle, d'Hélène, et de Claire, la cousine du milieu, sa sœur de cœur. Les corps s'arrangent, les corps s'accordent. André sait seulement qu'une partie de lui-même échappe, a sombré pour toujours avec Gabrielle. Avec Gabrielle, on bavardait, on riait, on racontait la vie des autres, mais on ne parlait pas. Personne n'avait pu, ou su vraiment, pas même Hélène. André s'adosse un moment et sent contre sa peau, à travers le coton de la chemise blanche, l'écorce animale des platanes familiers. Il faudra monter à Paris, s'occuper de l'appartement et des papiers, trier, vider, rendre les clefs. Son ventre se noue. Paris est le territoire de Gabrielle et des fantômes, Paris est un terrain miné. Il calcule ; depuis Pâques 1962, depuis douze ans, il n'y est retourné, trois ou quatre fois par an, que contraint et forcé par des nécessités professionnelles. Il a refusé sans hésiter, sans même en parler à Juliette, un poste superbe qui lui était offert sur le nouveau site implanté près d'Orly. Il avait senti combien ses collègues les plus proches, Christian, Yves, et sa hiérarchie s'étonnaient de cette réticence invincible tant on le savait vaillant, prompt à s'adapter à toutes les situations et capable d'inventer des solutions parfaites aux problèmes de logistique les plus épineux. Il ira à Paris, ils iront, ils s'occuperont de tout, avec Juliette ; ça leur incombe, il le sait. Hélène a du chagrin, il voudrait lui épargner les déplacements, les démarches, les tris fastidieux, douloureux. On montera peut-être avec Léon, que l'âge n'amoindrit pas ; c'est à discuter, ce soir, à la fraîche, dans le jardin, ou demain, ou dans quelques jours. La demie de cinq heures sonne. On a fait dire une messe

147

pour Gabrielle parce que c'est l'usage ; on a marmonné quelques cantiques et des prières tièdes. L'homélie fut molle, une enfant du pays, restée fidèle au pays, rappelée par le Seigneur, accompagnée par les siens jusqu'à sa dernière demeure. L'ordinaire litanie des poncifs a glissé sur André, il n'a pas prié, il ne prie pas ; à quoi, à qui Gabrielle a-t-elle été fidèle, à elle-même, à ses plaisirs, à ses secrets. Les trois cousines ont aussi du chagrin, mais pas comme Hélène, pas le même. Dans l'enfance et la jeunesse, elles ont aimé cette tante parfumée, maquillée, leur père disait pomponnée ; Gabrielle savait choisir pour elles de menus cadeaux parfaits, bijoux de pacotille, eau de Cologne en vaporisateur coquet, ceintures chatoyantes, qu'elle rendait précieux avec deux feuilles de papier de soie bruissant et un ruban moiré. Elles avaient aimé sa joie haut perchée qu'elles seules savaient éveiller et partager sous la tonnelle. En dépit des airs entendus et des mines gourmandes du voisinage, elles avaient aimé sa légèreté, sa liberté qu'elles n'avaient pas jugée, jamais, même plus tard, même devenues épouses et mères, même confrontées à la perplexité unanime de leurs trois maris. André était la clef de tout ; sans Gabrielle, pas d'André, le plus beau cadeau de la

Parisienne, son chef-d'œuvre, qui avait enchanté toute une décennie de leur vie, la deuxième, pour toujours demeurée lumineuse.

L'appartement sent l'absence confinée. Ils ont monté les trois étages d'un escalier amène, luisant de propreté. André a seulement pensé, en découvrant l'immeuble, rue de la Roquette, que c'était beaucoup moins cossu que le boulevard Arago. Douze ans plus tard, l'image est remontée, fulgurante et précise, d'une façade élégante, un rien chantournée. Pierre de Paris, la pierre de taille du pauvre, a annoncé Léon, comme s'il connaissait les moindres secrets d'André. Imitant le geste d'Hélène, ils ont ouvert les cinq fenêtres sur la cour intérieure où triomphait un énorme marronnier, rond et charnu, roux et glorieux dans la lumière d'automne. Gabrielle disait toujours que c'était très silencieux, elle dormait la fenêtre ouverte d'avril à octobre ; la voix d'Hélène tenait vaillamment tête au vide, le faisait refluer. Ils avaient craint un certain désordre et de fâcheuses accumulations qui leur eussent compliqué la tâche. Ils découvraient, soulagés, un salon et une chambre peu meublés, et, sur la gauche d'une entrée minuscule, une cuisine jaune et une salle de bains rose en enfilade, impeccables, quasi monacales. On aurait peut-être des surprises en ouvrant les placards. Hélène avait insisté pour monter à Paris s'occuper des affaires de sa sœur, elle n'en avait pas démordu, s'était imposée. Seul Léon connaissait déjà les lieux ; il était venu y installer Gabrielle en août 1938, embarquant dans son fourgon la belle-sœur, ses bagages et quatre ou cinq meubles, un fauteuil vert, une bonnetière, un chevet, un petit buffet de cuisine en bois clair et une commode pansue qui allaient rentrer au bercail lotois. André se souvenait de ce départ d'août 1938 parce que l'on avait dérogé au rituel ferroviaire et qu'il avait été fortement question de l'embarquer lui aussi. À quatorze ans il connaîtrait enfin la Capitale, où il était né, et pourrait donner un coup de main pour hisser les meubles au troisième étage, même si Gabrielle assurait avoir réquisitionné pour ce faire deux amis solides, costauds et très dévoués. Les amis, deux frères noueux noirauds énigmatiques, dotés d'un fort accent italien, avaient davantage encore ancré Léon dans la conviction que sa belle-sœur était une sorte de magicienne, peut-être une ensorceleuse, en tout cas une meneuse d'hommes. Les deux matous de gouttière, Léon ne les nommait pas autrement, avaient été là, et bien là, mais pas André ; moins d'une semaine avant le départ, il s'était cassé le bras droit et la clavicule en tombant de vélo, lui qui, en quatorze ans d'existence, n'avait dû tomber de vélo que deux ou trois fois. On évita de gloser. André ne monterait pas à Paris dans le sillage maternel. Trente-six ans plus tard, il découvrait la vraie vie de sa mère, ses traces, ses plis d'être, son fauteuil vert très fatigué, la nudité de sa chambre, son armoire parfaitement rangée, ses deux piles de mouchoirs, à droite les blancs, minuscules et brodés à son chiffre, à gauche de vastes mouchoirs d'homme à carreaux bleu et vert, ses vêtements, robes, jupes, corsages, manteaux, vestes, de rares pantalons, assemblés par couleur. Ouvrant les deux battants de la penderie, ils avaient été assaillis par l'immarcescible parfum de Gabrielle, vivace, pimpant, âcre et sucré à la fois, et par cette savante composition de couleurs. Plus tard Hélène, rentrée à Figeac, regretterait de ne pas avoir pensé à prendre une photo pour donner à ses filles une ultime preuve des talents cachés de sa Parisienne. On chercha et on trouva sans tarder les papiers répartis dans des enveloppes marquées de la grande écriture fluide de Gabrielle. Loyer, charges, électricité, téléphone, impôts, retraite, sécurité sociale, santé. Une vie se tenait là, caduque et classée. Les murs étaient nus, ni crucifix, ni photos, ni gravure ou reproduction de tableau, un papier peint écru, fané et décent, un parquet à lattes étroites, mille fois ciré, le calendrier des pompiers de l'année en cours punaisé sur la porte du placard, dans la cuisine, et, dans le troisième tiroir de la commode, le courrier, en piles impeccables. Gabrielle avait trié, devait le faire régulièrement ; rien avant 1938, comme si elle avait commencé à exister en arrivant dans cet appartement. Plus tard on retrouverait sous son lit, dans la chambre de la rue Bergandine, à Figeac, quatre boîtes rectangulaires où ne manquerait pas une seule des lettres adressées, deux fois par mois, pendant près de soixante-dix ans, de 1905 à 1974, par Hélène à sa sœur aînée, d'abord à Aurillac, ensuite à Paris, cité Trévise, rue Victor-Chevreuil et rue de la Roquette. Les lettres d'Hélène étaient là, toutes, classées par année, ouvertes au coupe-papier, et aussi, sorties des enveloppes, une poignée de photos envoyées après les fêtes de famille, baptêmes ou communions printanières, auxquelles Gabrielle n'avait pas assisté. Le téléphone n'avait rien changé aux usages des deux sœurs qui l'utilisaient peu. Gabrielle répondait à Hélène ponctuellement, le dernier dimanche de chaque mois, de curieuses lettres évasives et très météorologiques ; il faisait gris et froid, ou déjà trop chaud pour un mois d'avril, il avait gelé, il avait neigé, trois flocons, l'humidité était entrée dans les appartements, elle allait bien, elle embrassait tous et chacune et chacun, c'était sa formule, et elle signait Gaby, d'un jet fleuri et emberlificoté qui occupait le tiers de la feuille. Hélène attendait la lettre de Gaby, qui arrivait au milieu de la première semaine du mois, et, après l'avoir lue à voix haute à la fin du repas du soir, elle la glissait dans un carton à chapeaux, monumental et désuet, haut et profond, hérité d'une lointaine et spectaculaire cousine toulousaine de Léon.

Rue de la Roquette, on comprenait que la Parisienne avait vécu sans faste, même si ses grands airs eussent aisément pu la faire passer pour ce qu'elle n'était pas. André, posé au bord du lit, dans la chambre nue, s'était soudain senti très las, comme accablé d'un poids de silence et de secret qui était son lot de fils ; père inconnu et mère à double fond. Cette image du double fond lui était venue là, à Paris, tandis que Juliette, Hélène et Léon s'affairaient dans la cuisine où il était question de casser la croûte avant de se lancer dans les affaires sérieuses. Pour la première fois, à cinquante ans, il comprenait que les coulisses maternelles avaient été beaucoup plus austères que ne le laissait supposer tout l'apparat estival d'une Gabrielle volontiers primesautière, légère, voire jouisseuse. L'appartement racontait une autre version de l'histoire, dont Gabrielle sortirait peut-être grandie et plus lointaine encore. On s'enfonça dans la besogne, ouvrir, extraire, trier. Consultée, la gardienne se montra très accommodante ; elle habitait l'immeuble voisin, ne s'occupait du 62 que depuis quatre ans, et avait peu connu Gabrielle, qu'elle appelait Mademoiselle Léoty. André se garda bien de s'annoncer comme le fils provincial et caché de ladite demoiselle. On avait l'habitude, dans ces immeubles où les locataires vieillissaient longuement, de faire débarrasser ce que les familles n'emportaient pas après les décès ; avec Mademoiselle Léoty, pas de surprise fâcheuse à craindre, l'appartement avait été bien tenu, c'était pas comme chez certains, au cinquième par exemple, l'hiver dernier, heureusement qu'il avait fait très froid à ce moment-là, le locataire était mort depuis trois jours, dans son lit, quand elle l'avait trouvé ; son chat aussi était mort, elle ne disait pas crevé, et depuis plus longtemps que ça, il l'avait arrangé comme une momie dans une longue caissette métallique qui trônait sur la table de la salle à manger, comment imaginer ça, un homme qui présentait si bien et avait monté ses cinq étages jusqu'au dernier jour. Hélène et Léon, saisis, acquiesçaient. On frôlait des précipices glacés de solitude. André pensa que sa mère s'était bien tenue et avait poussé l'efficacité, le mot d'Hélène lui venait naturellement, jusqu'à mourir au bon endroit. Dans le tiroir de sa table de chevet, que Claire installerait plus tard dans la chambre de Laurence, sa deuxième fille, Hélène trouva dans une grande enveloppe crème deux photos qu'elle remit à André et Juliette en revenant du cimetière à la Toussaint suivante ; ça se passait de commentaires, elle dit seulement, vous verrez tu verras André. Ils virent. Rentrés à Toulouse, les deux photos étalées sur la table de la cuisine, sous la lumière vive de la suspension, ils virent. Le père selon le sang était là, il trônait, assis à l'extrémité gauche du premier rang de la photo de la classe de Terminale 1 du lycée Émile-Duclaux à Aurillac, année 1920-1921 ; cravate et costume sombre, chemise blanche, jambes croisées, la gauche jetée sur la droite, le pied gauche finement chaussé, en tension, cheville à angle droit, les cheveux drus, souples, coiffés en arrière, le menton rond, le front haut. Les corps parlaient, les mains plus encore que le visage, les mains longues, puissantes et fines à la fois, la droite posée sur la gauche dont les doigts s'étoilaient sur la cuisse. André était sans voix. Juliette dit, il avait dix-huit ans. La seconde photo datait de février 1941, Gabrielle avait noté au dos, fiançailles Claire. André dix-sept ans. On y reconnaissait, en petit comité, Hélène, Léon, Claire encadrée de ses deux sœurs et de son fiancé, les parents du fiancé, et André, les traits un peu flous, juché sur l'accoudoir du fauteuil d'Hélène, jambes croisées et mains rassemblées sur les cuisses, André, flagrant, patent, révélé, inéluctable fils de son père.

Vendredi 28 avril 2008

Les dates sont là, gravées en lettres dorées sur le marbre sombre du caveau, quasiment pimpantes dans l'avril bondissant. 2 août 1903-28 avril 1908. Armand Lachalme. Cent ans. Le jour, le mois, l'année sautent aux yeux d'Antoine. Armand Lachalme est mort et enterré depuis cent ans, jour pour jour, à Chanterelle, Cantal, pays perché, pays perdu ; et lui, Antoine, son petit-neveu, il hésite un instant sur le terme exact à mettre sur ce degré de parenté jusqu'alors inusité dans le champ de sa conscience d'homme bientôt quinquagénaire, lui donc, Antoine Léoty, son petit-neveu, citoyen franco-américain, nanti de la double nationalité depuis plus de quinze ans, de passage en France pour trois jours, entre deux avions, se tient là devant la tombe de cet enfant de cinq ans dont, quelques heures plus tôt, débarquant à Chanterelle au volant d'une voiture louée à

Clermont-Ferrand, il ignorait jusqu'à l'existence. Il est le petit-neveu d'un enfant de cinq ans, mort et enterré depuis cent ans, jour pour jour. Il déglutit, ses paumes sont moites, il a soudain très chaud ; il vient de passer avec un autre Armand, Armand Lachalme, né en mars 1935, cousin germain de son père, neveu de cet enfant mort, et désormais seul détenteur des clefs du royaume de Chanterelle, une après-midi qui comptera dans sa vie, il le sait il le sent, c'est un aiguillage une frontière un seuil. Cette fois les mots se bousculent et il se tient debout dans la lumière verte, frisée de vent vif, qui balaie le cimetière de Chanterelle. Le soir va venir, il est attendu à Figeac, rue Bergandine, à deux bonnes heures de route ; Laurence, la deuxième fille de Claire, habite la maison, elle y a élevé ses trois enfants, elle avait douze ans à sa naissance mais il a toujours gardé avec elle, en dépit de l'éloignement, un lien tenace et précieux que son père voyait comme une sorte de prolongement naturel de celui qui l'attachait, lui, à sa cousine Claire plus qu'à ses deux sœurs. Antoine s'ébroue, il aime conduire, ça lui éclaircit les idées, mais il peine à s'arracher à Chanterelle. Il fixe ce tiret, le tiret du six sur les claviers français, toute une vie dans un tiret, une poignée d'années, à peine cinq, l'âge de ses deux fils, jumeaux, Emmet et Enak, qui grandissent à Los Angeles, sont nés à Vancouver, ont déjà vécu deux ans à Singapour. Antoine est en pèlerinage, le mot le surprend là, dans ce cimetière, où il sonne étrangement, mais il n'en trouve pas de plus juste ; il se dit soudain qu'à force de vivre, de travailler, de penser en anglais, il perd son français qui lui résiste, rechigne et le boude, se racornit et se ratatine ; en pèlerinage donc, sur les traces de son père qu'il n'a pas vu vieillir, qu'il n'a pas vu mourir. André n'avait pas vraiment vieilli, il était mort d'un coup, à quatre-vingt-cinq ans, dans son lit, comme ses deux mères, et comme papa, répétait Claire qui n'en revenait pas, à quatre-vingt-douze ans, de devoir enterrer Dadou, elle seule continuait à l'appeler ainsi, si vif, si alerte et de sept ans son cadet. Laurence et Claire avaient réveillé Antoine à Los Angeles où il venait d'arriver avec femme et enfants pour prendre un nouveau poste. Il se revoit, dans le salon, béant, au milieu des cartons du déménagement à peine ouverts ; la France, Toulouse, Figeac, la voix de Claire, celle de Laurence, un autre espace-temps, les prémices de sa vie. Il avait pris un avion, très vite, pour Paris, un autre pour Toulouse, il était venu, on l'avait attendu. Il avait été là, sonné, à Figeac, à l'église et devant la tombe, dans la tiédeur d'un après-midi de mars, avec la tribu de la rue Bergandine rassemblée autour de Claire, et les amis qui avaient pu venir de Toulouse ou d'ailleurs ; ses parents étaient morts, leurs amis, ou ce qu'il en restait, étaient vieux, lents, rabougris, on peinait à se reconnaître, il se sentait étranger, nu et défait, en dépit de Laurence et de Claire. Au retour, il avait été soulagé de retrouver un monde jeune, trépidant ; il s'était laissé happer et avait donné le plein de ses forces pour faire face à tout, s'adapter, se réinventer dans un environnement nouveau, après Singapour et avant une autre ville, un autre pays peut-être, un autre défi. Amy, qu'il avait rencontrée au Canada, excellait à se trouver à sa place partout ; en quelques semaines elle arrondissait autour de lui et des enfants le nid d'une maison toujours nouvelle qui leur semblait aussitôt familière. Plus d'une année avait passé, la succession avait été limpide, André ayant tout organisé après la mort de Juliette ; Antoine avait peu pensé à son père, davantage à sa mère, dont il rêvait souvent, telle qu'il l'avait vue pour la dernière fois, à Noël 2004, chez Laurence, diaphane, rabotée par la maladie, étrangement sereine et déjà un peu partie, embarquée et cependant émue de voir, de toucher, ses deux petits-fils, ses jumeaux américains. Pendant près de vingt ans, entre leur départ à la retraite et le début de la maladie de sa mère, ses parents avaient voyagé dans son sillage, passant avec lui, avec Amy et Emma ensuite, plus de deux mois par an, au moment des fêtes et en août. Ils ne pesaient pas ; curieux, parfois stupéfaits, jamais railleurs ni méprisants, ils se réjouissaient volontiers et demeuraient en appétit du monde et follement épris de leurs trois petits-enfants dont l'aînée, Emma, leur devait un français encore sommaire, mais efficace et chantant.

Antoine pense à Amy qui voudra tout comprendre, posera des questions, recoupera les dates, avec cette passion singulière des généalogies qu'elle tient de sa belle-mère. Il prend le caveau de Chanterelle en photo, les dates d'Armand, celles de Paul Lachalme, 1903-1998, le coriace ancêtre, le jumeau rescapé, l'absent, son grand-père dans l'ordre du sang, les dates de Georges aussi, le puîné, géniteur de la lignée officielle, né en 1905 et mort en 1983. Antoine récapitule, il fiche, il classe, mentalement ; un peu assommé, il tente de s'y retrouver. Paul Lachalme fut son grand-père, même si cette place est pour toujours celle de Léon, Georges Lachalme fut son grand-oncle, et il vient de passer avec son fils, Armand Lachalme, neveu et filleul de Paul Lachalme, né en 1935, plus de trois heures inouïes, presque quatre, qu'il a vécues dans une sorte de transe à la fois paisible et bouleversante, mettant ses pas dans ceux de son père, osant ce qu'André n'avait pas pu, pas su oser. Antoine sent que ça le travaille, ça le retourne, des plaques tectoniques bougent ; il voudrait mieux se défendre, il sent qu'il pourrait se mettre à pleurer là, dans le soir vert de Chanterelle, devant la tombe de cet enfant dont la mort ne s'élime pas. Après deux heures de mise en bouche et de préliminaires passées à s'exclamer sur les maigres reliques apportées par Antoine et un album de famille exhumé d'une bibliothèque fournie, Armand, surpris en plein jardinage mais promptement bonhomme et disert, avait raconté le poids de ce prénom, qui lui était échu en mémoire d'un oncle maternel tué aux Éparges à vingt-deux ans et de l'enfant supplicié dans cette maison même en avril 1908. Il avait dit plusieurs fois supplicié, avant de préciser que c'était le mot de la famille ; Lucie, la grand-mère, et sa sœur Marguerite, qui avait toujours vécu avec elle, son oncle et parrain Paul, et même Georges, son père, n'en employaient pas d'autre. Armand n'était pas mort, il avait été supplicié, ébouillanté, un jour de grande lessive, par une servante, dont le prénom, Antoinette, avait évidemment stupéfié Antoine. L'histoire terrible s'était transmise depuis un siècle et Armand la racontait avec une émotion sourde, en courtes phrases tenues qu'Antoine n'oublierait plus. Le père avait remué ciel et terre ; le médecin d'Allanche, accouru à cheval, avait en vain sollicité le renfort d'un confrère d'Aurillac ; toutes les femmes du bourg avaient prié nuit et jour, la mère et la tante ne quittaient pas l'enfant ceint de bandelettes enduites d'un onguent gras ; Armand avait tenu du jeudi au dimanche ; à l'aube il avait cessé de geindre et, dans le silence retombé sur la maison, on avait entendu le hurlement du père qui, depuis trois jours, n'avait ni fermé l'œil, ni bu, ni mangé. Antoinette avait vingt ans, venait de se marier et de quitter la maison où elle ne reprenait du service que pour les grosses journées, elle attendait son premier enfant, elle adorait Armand qui avait beaucoup pleuré à son départ. Antoinette avait connu là le début de son malheur qui n'avait pas eu de fin. Elle était devenue folle, au point de ne pas regarder sa fille, née à l'automne suivant ; elle ne parlait plus, gémissait ou criait, refusait de se laver et de boire, s'échappait, courait pieds nus sur la route pour reprendre le chemin de Chanterelle, où elle avait vécu jusqu'à son mariage et était d'ailleurs enterrée. Son mari et ses parents avaient dû la faire interner à Aurillac et elle y était morte dix ans plus tard, en 1918. Antoine sait même où est la tombe d'Antoinette, en face du caveau des Lachalme, il n'aurait qu'à se retourner ; Armand le lui a précisé, ajoutant que, depuis la mort de sa femme, il évitait de fréquenter les cimetières, surtout le soir, et ne l'accompagnerait donc pas dans celui de Chanterelle, dont la visite s'imposait, cependant, pour le charme de l'enclos, exposé à merveille et parfaitement entretenu par la municipalité.

Antoine pourrait pleurer dans le cimetière de Chanterelle mais il ne le fera pas ; pas encore, pas maintenant, pas tout seul, pas cette fois. Il doit repartir, Laurence l'attend ; demain il rendra la voiture de location à l'aéroport de Toulouse, reprendra un avion pour Los Angeles, via Paris, achevant ainsi son périple professionnel, auquel il avait pu arracher, à l'instigation tenace d'Amy, deux journées vouées, dévolues, consacrées, il hésite encore sur les mots, aux pères, aux pères absents, à leurs silences, à leurs secrets. Dans trente-six heures, il sera rentré à la maison, retrouvera Emma et les garçons, leurs rires, leur tapage, et Amy qui l'écoutera. Il note, il photographie, il parlera ce soir avec Laurence, ensuite Amy l'aidera, avec elle ils mettront les choses à plat ; elle crayonnera un arbre généalogique au dos d'une enveloppe et tout s'éclairera, elle aura la patience. Elle va adorer les photos de la maison et d'Armand Lachalme, le vivant, et bien vivant, celui de 1935 ; par goût et par passion, il a gardé Chanterelle que sa sœur Pauline lui a volontiers abandonnée. Amy va adorer le visage aigu d'Armand, son chapeau de paille, ses parterres de fleurs, ce qu'il appelle son jardin de curé, et ce qu'il a fait, ce qu'ils ont fait, avec sa femme, de cette baraque impossible énorme dévorante, sise à Chanterelle, Cantal, Auvergne, France. Antoine a compris qu'Armand était veuf depuis plusieurs années ; il a aperçu des photos, sur la cheminée du salon, d'une femme brune et élancée ; pas d'enfants, ni de petits-enfants apparemment, mais rien n'a été précisé et il n'a pas osé poser de questions. Armand plaît à Antoine et plairait à Amy, lui plaira ; il le sent, une autre histoire de famille pourrait commencer avec cet Armand vivace et affûté qui n'a pas hésité une seconde à reconnaître l'évidence des corps, de Paul Lachalme à André Léoty, sur les photos extraites de la grande enveloppe crème de Gabrielle. Le nom de Chanterelle à lui seul fait rêver Amy depuis qu'elle le connaît ; elle disait à André et Juliette que Chanterelle était forcément un royaume enchanté, un lieu pour la magie et les miracles. André, pour l'amour de son unique et romanesque belle-fille, souriait, restait évasif, passait à autre chose ; Juliette racontait, expliquait, ce que l'on savait, ce que l'on n'avait jamais pu savoir, ce qu'Hélène avait dit, ce qu'elle n'avait pas dit, ou pas su, ou pas voulu savoir, et les secrets perdus de Gabrielle, qu'Amy n'avait évidemment pas connue et dont Antoine lui-même, qui avait quatorze ans au moment de sa mort, ne gardait que de maigres souvenirs. Il ne s'était d'ailleurs jamais étonné de la présence fugace aux côtés d'Hélène de cette sœur parisienne, longue et rêche, qui était, il le savait, la mère de son père mais pas vraiment sa grand-mère. Juliette, dès qu'elle était tombée malade, avait légué à Amy ce qu'elle appelait les reliques du gouffre de Padirac ; la correspondance croisée, Juliette aimait cette expression, des deux sœurs était restée rue Bergandine, chez Laurence, mais

Amy avait glissé dans la précieuse enveloppe crème de Gabrielle une troisième photo, celle d'André bravement planté devant l'immeuble du 34, boulevard Arago, datée au dos, par Juliette, du samedi 21 avril 1962, et la fiche cartonnée établie après la visite au cimetière de Chanterelle du 8 novembre 1984. Antoine rumine ; 1962, 1984, 1998, une vie entière à flairer les traces du père, de loin ou de près, à Paris ou dans le Lot ; quatorze années entre cette visite inaugurale à Chanterelle, que Juliette racontait volontiers, et la mort de Paul Lachalme, à quatre-vingt-quinze ans ; Laurence en ferait la remarque le lendemain au petit déjeuner, rien n'avait été possible en dépit de cette longévité formidable que Paul Lachalme partageait sans le savoir avec Hélène, Léon et Claire. Antoine le sait depuis longtemps, quelque chose a résisté à son père, l'a empêché de remonter aux sources de Chanterelle, a été plus fort que le désir et le manque. Son père a désiré, son père a manqué. Il réfléchit, il roule dans la nuit fraîche, vitres ouvertes, le vert pétulant des feuillages neufs éclate dans la lumière des phares, le haut pays et ses frênes encore nus sont derrière lui, il a dépassé Aurillac, file vers Maurs, Figeac est à un peu plus d'une heure. Son père a eu une belle vie, pleine et généreuse, son père fut un homme magnifique et juste, un héros de vingt ans, nul n'est mieux placé qu'Antoine pour le dire. Il entend la voix d'Armand Lachalme, élégante et précise ; l'oncle a connu des années difficiles après la guerre, il a dû se faire oublier et raser un peu les murs, ce qui n'était pas son genre, ma mère et lui ont été comme chien et chat, dès le début, et mon père écartelé, il avait hésité sur le mot, entre les deux. On comprenait que Paul Lachalme n'avait pas laissé un grand souvenir à son neveu et filleul qui avait dû partager avec lui les propriétés de Chanterelle restées dans l'indivision après la mort de Georges, le frère puîné depuis toujours prompt à se soumettre aux caprices de son aîné. Armand a dit, et répété, les caprices, des caprices, des petits et des gros, et des manies de vieil enfant gâté, bains chauds et poires au sirop, célibataire invétéré et polygame carabiné mort sans descendance officielle. Antoine revoit le sourire d'Armand, les gestes vifs de ses mains et sa bienveillance ; le cousin de Chanterelle aurait beaucoup plu à son père, à sa mère aussi, et à Hélène ; le cousin Armand de Chanterelle est une belle recrue, il a bonne façon et connaît manière, eût dit André dont les expressions et la voix refont surface dans l'habitacle de la voiture. Demain matin Antoine ira au cimetière avec Laurence, ils se tiendront devant la tombe de ses parents, les deux, côte à côte. Ensuite Laurence le laissera seul, elle s'avancera dans les allées vides avec cet air qu'elle a d'être toujours en promenade, elle l'attendra. Antoine parlera à son père, et à sa mère ; même à l'autre bout du monde, histoire de ne pas perdre le fil, parfois il parle à ses morts, à sa mère surtout. Il confirmera à son père ce qu'il savait déjà, que Chanterelle est un fort royaume perché, où les arbres sont drus et la vue longue ; il pourra aussi lui dire que, désormais, à Chanterelle, on sait qu'André Léoty, fils de Paul Lachalme et de Gabrielle Léoty, fut au monde, et que l'on se souviendra de lui.

DU MÊME AUTEUR
CHEZ LE MÊME ÉDITEUR :

Le Soir du chien, roman, 2001 (prix Renaudot des
   lycéens, 2001).
Liturgie, nouvelles, 2002.
Sur la photo, roman, 2003.
Mo, roman, 2005.
Organes, nouvelles, 2006.
Les Derniers Indiens, roman, 2008.
L'Annonce, roman, 2009 (prix *Page des libraires* 2009 ;
   prix *La Montagne*/Terre de France 2009).
Les Pays, roman, 2012 (prix du Style, 2012).
Album, 2012.
Joseph, roman, 2014.
Histoires, nouvelles, 2015 (Goncourt de la nouvelle
   2016).
Nos vies, roman, 2017.

COMPOSITION ET MISE EN PAGES
NORD COMPO À VILLENEUVE-D'ASCQ

CET OUVRAGE A ÉTÉ ACHEVÉ D'IMPRIMER
SUR ROTO-PAGE
PAR L'IMPRIMERIE FLOCH À MAYENNE
EN NOVEMBRE 2020

N° d'impression : 97238
Dépôt légal : novembre 2020
Imprimé en France